D1219740

Armin Thurnher

ANSTANDSLOS

Demokratie,
Oligarchie,
österreichische
Abwege

Paul Zsolnay Verlag

Mit freundlicher Unterstützung der Kulturabteilung
der Stadt Wien und des Landes Vorarlberg

1. Auflage 2023

ISBN 978-3-552-07278-7

Satz: Nele Steinborn, Wien
Autorenfoto: © Irena Rosc
Umschlag: Anzinger und Rasp, München,
nach einer Idee von Irena Rosc
Druck und Bindung: CPI books GmbH, Leck
Printed in Germany

MIX
Papier | Fördert
gute Waldnutzung
FSC® C083411

ANSTANDSLOS

1. ORTSBESTIMMUNG

Wir sind niemand. Will sagen, ich bin niemand, der sich als Teil eines Wir verstehen würde. Seit einiger Zeit habe ich Posten in der Einschicht bezogen. Die Pandemie legte mir nahe zu tun, was ich immer schon hatte tun wollen, aber das hat hier nichts zu bedeuten. Bin Mitglied der sogenannten Vulnerablen, aber sind wir das nicht alle? Der Rückzug in die Einschicht schützte mich scheinbar gesundheitlich und löste mich aus manchen sozialen Zusammenhängen.

Vielleicht lässt sich die Auflösung vieler Wir-Gewissheiten auch daran ablesen, dass dieses Personalpronomen so inflationär gebraucht wird. Je kleiner die Gemeinschaften, desto größer ihr Anspruch aufs Ganze. Je kleiner die Gruppe, desto laustärker schallt ihr »wir«. Kein Wir hier, ermahne ich mich also gleich zu Beginn. Nicht einmal ein majestätisches Ego-Wir. Kein Pluralis Majestatis, diese Selbstkrönung publizierender Würstchen, die auch ich in schwachen Momenten nicht verschmähe. Und schon gar kein verlogenes Generationen-Wir, das löst sich mit der Zeit sowieso auf.

Ich sehe die Dinge aus einer gewissen Distanz, mehr als früher, als mich jeder Tag mit einigen jener Menschen zusammenbrachte, über die ich schrieb. Manchmal stellte ich mir damals eine Gefängniszelle als idealen Ort vor zu schreiben. Der Konzentration auf das Blatt wegen, sei es das leere, das vor einem liegt, oder die leere Zeitung, die jede Woche neu gefüllt sein will.

Das Blatt ist dem Schirm gewichen, der die Konzentration erschwert, weil er lebt und einem – abgesehen von den Partikeln, mit denen er einen fortwährend beschießt – unentwegt Dinge aus der Außenwelt nahebringt, die ich beachte, obwohl ich sie nicht beachten müsste. Beschuss der Zustand, Ablenkung der Imperativ. Einem bekannten Wort zufolge bedeutet Zerstreuung, und die ist das Ergebnis von Ablenkung, dass eine Aufgabe kulturell gelernt worden sei, aber was wäre hier die Aufgabe? Dass man aufgegeben hat, für eine bessere Gesellschaft zu kämpfen? Dass man es vergessen hat?

Die Zelle ist da. Auch wenn sie ein paar hundert Quadratmeter misst, samt Park, so bleibt es doch eine Zelle.

Der Park übrigens – Sie sehen, ich bin in einem Lebensstadium angekommen, an dem ich aus meinen Lebensumständen kein Hehl mehr mache –, der Park ist ein Schlosspark, aber ich ziehe mich nicht in ihn zurück, um zu ruhen, zu reflektieren oder gar zu schreiben. Das habe ich mir früher so ausgemalt. Komm in den totgesagten Park und schau!

Ich schaue nicht, ich plage mich. Der einst herrschaftliche Park ist mangels Personal meine Knechtsphäre. Kraftgärtnern wäre nicht das richtige Wort für das, was ich tue. Ich berichte meinem Publikum darüber regelmäßig in meiner täglich erscheinenden »Seuchenkolumne« und merke, dass Mitteilungen über unsere Kunstnatur und meine dilettantische Koexistenz mit ihr dieses Publikum mehr begeistern als das meiste, was ich über Politik sage. Das ist natürlich (hier passt das Wort) so, weil eine durch unser Zutun entgleisende Natur ebenso zu den großen Angstkrisen gehört, die alle Tage beherrschen, wie die Krisen von Politik, Wirtschaft und Gesundheit. Und weil andererseits die Vorstellung fremder, in diesem Fall meiner Plagen das eigene Dasein erträglicher macht. Ich mache mich zum Affen, das macht sympathisch.

Man lebt im Neobarock, sündengewiss, prangersüchtig

und verhängnisfroh, der gerechten Strafe für sein frevelhaftes Tun gewärtig. Aufklärung war gestern und kommt vielleicht morgen wieder; die Gegenwart aber hat es geschafft, jene Mischung aus Rationalität, Maschinentheater und Gegenreformation erneut zu aktualisieren, die man Barock nannte, aber vielleicht besser Operettenbarock nennen sollte.

Was ich über die Präferenzen des Publikums sagte, stimmt nicht ganz. Kritik an der herrschenden Partei wird akklamiert; auch Kritik an der Opposition, überhaupt Kritik an der Politik im Allgemeinen. Selbst Medienkritik, wenn sich die mitgemeinte Blase ausgenommen vorkommen kann. Den Zensursplitter im Auge haben immer die anderen.

Seit ich mich aus meiner Welt-Erscheinung etwas zurückgezogen habe, veröffentliche ich mehr über mich. Noch so ein zeitgenössisches Paradoxon: Die Monaden rufen ungeniert ihr Privatzeug in die Welt hinaus; als sie noch aufeinander trafen und beieinander saßen, waren sie in gewissen Dingen verschlossener.

Dem Sog des falschen Wir der sogenannten Social Media kann sich bei Strafe des Absterbens seiner öffentlichen Erscheinung kein Publizist entziehen, der jünger ist als siebzig. Ich bin zwar älter als siebzig, aber nicht gewillt, diesen sozialen Tod kampflos hinzunehmen. Gegen das Absterben ansterben. Wer immer sterbend sich bemüht, trägt bei zu unseren Erlösen, sagen dazu die CEOs der Social Media, und wir machen mit, wie alle Mitmacher im vollen Wissen dessen, was wir bewirken. Wir schon wieder. Nein, ich mache mit, die meisten haben offenbar keine Ahnung oder es ist ihnen egal, wobei sie da mitmachen und was da mit ihnen gemacht wird. Auch dazu werde ich versuchen, etwas zu sagen.

Mein Park ist ein Stadion meines großen Noch. Wie lange noch werde ich die Kraft haben, mit Kettensäge und Heckenschere, mit Krampen und Schaufel, mit Rechen und Sense zu Werke zu gehen? Wie lange werden wir uns das alles leisten können? Wie lange werden die Bäume noch Blätter tragen, wie lange werden sie den unvermittelt über sie hereinfallenden, immer stärker blasenden Sturmböen standhalten? Wie lange wird der Erde Grün von neuem uns erglänzen, wie es selbstverständlich bei Hölderlin steht?

Und wie lange noch werden wir uns der repräsentativen Demokratie erfreuen, in der wir meinen, uns zu bewegen? Der demokratische Park droht zum Reservat zu schrumpfen. Umstellt von autoritären Großmächten hat er aufgehört, seine Vorzüge in Schwellenländer, in den Süden und in den pazifischen Raum zu exportieren; stattdessen ist auch dort in den größten Demokratien Indien und Brasilien der Übergang zur Autokratie erreicht, wenn nicht überschritten. Von innen aber sind gleichfalls Großmächte am Werk, die, um ihn zu erhalten, bereit sind, ihn zu zerstören. Ein übles Durcheinander.

Der Park ist auf dem Land nicht gut angesehen. Nachbarn fühlen sich von hohen Bäumen belästigt; der Sturm droht sie auf ihre Dächer zu kippen, herabfallende Äste bedrohen ihre Gesundheit, und vor allem machen sie Schmutz in Form von Blättern, die im Herbst von den Straßen und Wiesen gefegt werden müssen; sie zu sammeln und zu kompostieren bleibt herrschaftliches Privileg. Der Bürger und die Bürgerin entledigen sich des Biomülls in der Biotonne: Es gibt kaum einen absurderen Anblick als all die Häuser mit Garten, vor denen Woche für Woche die Biotonne zur Abholung bereitsteht, für die Deponie. Im Frühling kaufen die Landleute dann ihre Bioerde im Supermarkt.

Was haben wir gelacht. Das Lachen ist mir nicht vergangen. Gott allein, an den ich umso weniger glaube, je mehr ich ihn anrufe, weiß, warum.

Ehe ich zum Grund für mein Gelächter komme, gestatten Sie mir drei Worte. Eines zu der erwähnten Seuchenkolumne, eines zur Form dieses Buches und eines zum titelgebenden Anstand.

Als ich mich Mitte März 2020 aufs Land zurückzog, nach Niederösterreich, ins südwestliche Waldviertel, begann ich mit dem Schreiben einer täglich außer Sonntag online erscheinenden Kolumne, einem Blog, den ich »Seuchenkolumne« nannte, in der sicheren Gewissheit, dass mir die Seuchen weder während noch nach Corona ausgehen würden. Das habe ich bis zum Schreiben dieses Buches durchgehalten. Die Menge des von mir in dieser Zeit Veröffentlichten umfasst etwa 25 Bücher vom Umfang dieses Essays.

Immer wieder schreiben mir Leserinnen und Leser der Kolumne, sie würden sich auf ihre Veröffentlichung in Buchform freuen; die wird es schon dieser Menge wegen nie geben. Für dieses Buch habe ich aber noch einmal nachgelesen, was ich so schrieb, wenn der Tag lang, die Seuche hart und die Dummheit groß waren. Kann sein, dass das eine oder andere in kommentierter, verwandelter Form oder als bloßer Anklang hier auftauchen wird.

Bei diesem Buch handelt es sich jedoch um keinen Digest der Seuchenkolumne, sondern um einen Essay zum Zustand des Landes und der Welt, wie sie sich mir zeigen. Also zu meinem Zustand. Dazu gehören unabweisbar auch Streiflichter ins pandemische Leben. Vom Einschnitt der Seuche in unser Leben und von der Art, in der Politik und Gesellschaft mit ihr umgingen und umgehen, werden wir uns weit langsamer erholen als von den zweckoptimistischen Prognosen von Trendforschern und Politikbeobachtern oder von den apokalyptischen Sprüchen mancher präsumtiver Seuchengewinnler. Bald wird jeder jemanden kennen, der an Corona gestorben ist, sagte einst Österreichs Alt-Juniorkanzler Sebastian Kurz, der sich schon als mit absoluter Mehrheit ausgestatteter Seuchen-Autokrat sah, dann aber als von der Schwindlerseuche befallen entlarvt aus der Politik verjagt wurde, was ihm in Österreich ein immerwährendes ehrendes Andenken sichert.

Warum schrieb ich die Seuchenkolumne? Als Angehöriger der Risikogruppe 70+ fühlte ich mich verpflichtet, der Gesellschaft ein Intensivbett möglichst lange freizuhalten. Ich schuldete der Welt einen Toten, um mit Heiner Müller zu sprechen, aber ich wollte mir bei der Rückzahlung Zeit lassen. Die Selbstisolation war nicht ausschließlich selbstgewählt. Der Rückzugsort war vorhanden. Er war einschichtig, denn ein Schloss in belebter Gegend kann ich mir nicht leisten.

Die Kommunikation per Internet verläuft auf dem Lande nicht so einfach wie in der Stadt. Die Leitung ist langsam. Längst ist zwar Glasfaser versprochen, auch sind schon Kabel verlegt, aber es geht ja eher um ein Sinnbild: Informationen fließen hier nicht üppig. Auf dem flachen Land, in Niederösterreich, gibt es keine autochthonen Tageszeitungen, bloß die mutierten Ausgaben der Wiener Blätter. Das Gebiet ist also auch journalistisch ziemlich weiß.

Kommuniziert wird eher per Dekret der Bauernkammer als über eine mediale Öffentlichkeit. Dieses debattierende und alles in Frage stellende Milieu wurde hier immer schon als störend empfunden. Die Presse hat mit der Politik zu kooperieren, basta. Message-Control war hier schon gottgegeben, ehe das Wort von ihr in die Welt kam. Kommunikation lief hier immer krisengerecht, als Erbrecht des Feudalherrn, der anschafft. Die ÖVP erzielt bei Wahlen mehr als achtzig Prozent, und seit der afrikanische Pater im Dorf den Gottesdienst übernommen hat, gehen die Leute auch nicht mehr in die Kirche. Sie verstehen seinen Akzent nicht.

In der Politik hingegen gibt es nur diesen Akzent. Die niederösterreichische Organisation der Volkspartei (ÖVP) stellt Kanzler und Minister, präsidiert das Parlament, kontrolliert das Innenministerium und andere Schlüsselministerien als Urbesitz, kurz, sie beherrscht die Republik derart, dass man von einer Verniederösterreicherung sprechen muss, wie das der zu Unrecht vergessene Dichter Hermann Schürrer zu tun pflegte, wenn er sich in den 1970er Jahren in einem Szenelokal trunken und übelgelaunt erhob, die Menge überschaute und mit Stentorstimme rief: »Olles Niederösterreicher!«

Aktuelle Politik steht dennoch immer wieder zur Debatte. Etwa wenn die Frage auftaucht, in welcher Form man des austrofaschistischen Diktators Engelbert Dollfuß gedenken solle, der in der Ersten Republik das Parlament ausschaltete und sozialdemokratische Arbeiter ermorden ließ. Er ist eine insofern stets aktualisierbare Figur, als er den ewig weiterschwelenden und auch die Zweite Republik vergiftenden Konflikt zwischen den ehemaligen Bürgerkriegsgegnern symbolisiert, die, nun verpflichtet, die Macht miteinander zu teilen, den Wunsch, einander auszuschalten, nur unzureichend sublimiert haben. Außerdem können sie damit ihren Konflikt auf die terminologische Ebene verschieben: War der Austrofaschismus ein Faschismus oder nicht? Aus Postfaschisten werden oft die glühendsten Demokraten, sagt man.

Allerdings ist Misstrauen angebracht, wenn etwas glüht. Sie seien »glühende Europäer«, bringen in der Regel die eiskältesten und egomanischsten Typen vor. Das einzige Glühen, das mir unverdächtig scheint, ist jenes der Glühwürmchen.

Im Ausnahmezustand des ersten Seuchenschocks erwies sich der Zugriff einer einzigen Partei mitunter als Segen. Das Dorf, in dem ich wohne, wies – etwa dem Ergebnis der Bürgermeisterwahl entsprechend – eine Durchimpfungsrate von achtzig Prozent auf. Vor allem zu Beginn der Pandemie waren die Corona-Tests überzeugend effizient organisiert. Einschüchterungen und Angstmache griffen zwar hier bei alten Leuten besonders unangenehm; die taten sich schwer, nötige Vorsichtsmaßnahmen von politischer Medienrhetorik zu unterscheiden. Andererseits blieben die Protestmilieus vom gemeinen Landfreak bis zum anthroposophischen Landwirt isolierte Inseln des Coronaleugnerkultes in einem Ozean von Kooperation.

Das Landleben hatte den Vorteil, dass man solche Trennungen der Milieus sauber durchzuhalten vermochte und sich deswegen sicherer wähnen konnte als in der Stadt.

Ich versuchte, die Seuchenkolumne thematisch wie formal frei anzulegen; Politik war nur einer ihrer Inhalte. Nachrufe auf verstorbene Freunde in Hexametern, Musikalisches, Poetisches (eigene Gedichte, seien Sie gewarnt!), Szenen einer Staatsoperette, Gespräch mit dem Kater, Rezepte für ungesundes Essen, Polemiken, Sottisen, Satiren, Buchrezensionen, Reiseberichte, Hommagen, Vernichtungen, Liebeserklärungen, Filmkritiken, Reprints alter Artikel, Medientheoretisches und vieles mehr kamen hier vor. Das Programm der Kolumne war, keines zu haben, außer dem, diagnostisch die Krankheiten unserer Zeit zu umkreisen. Bald gesellte sich mir als Koautor der klinische Epidemiologe Robert Zangerle zu. Ein Gschenk – mehr dazu im Kapitel 5.

Die Kolumne ist frei, sie ist meine Wette auf die Freiheit, mein Ausbruchsversuch aus jenem redaktionellen Korsett, in dem ich mich journalistisch schreibend stets bewegt hatte, zugleich wider dieses löckend, es immer wieder durchlöchernd, den Journalismus kritisierend, getreu dem Karl-Kraus-Aperçu, er habe keine Auswüchse, er sei einer, ihn nicht ernst nehmend, ihn ausreizend, in ihm selbst gegen ihn Stellung nehmend. All das tat ich nun weiterhin, jedoch ließ ich die Instanz von Kontrolle wegfallen, die demokratisch wertvollen Journalismus legitimiert, weil es ihn erst zum redaktionellen macht.

Dieser Essay gleicht insofern dem redaktionellen Journalismus, als er den Gesetzen der Buchproduktion genügt und einen strengen Lektor hat (Lektoren sind immer vorher zu streng, danach zu wenig). Die Seuchenkolumne ist wildgewordene Autorschaft oder sollte es zumindest sein. Der Essay bietet kein »Best of Seuchenkolumne«, aber das Beste der »Seuche«, wie die Kolumne im Volksmund mittlerweile heißt, wird hoffentlich in ihn Eingang finden. Das Land der Seuche mit der Kolumne suchen. Auch an Kalauern herrschte kein Mangel. Der Kolumne mangelt es auch nicht an Tippfehlern, das ist der Preis ihrer Freiheit. Diese Fehler haben ein von mir so genanntes Volkskorrektorat ins Leben gerufen, eine Gruppe von bis zu fünf Menschen, die mir jeden Morgen ihre Korrekturen schicken, die ich alsbald einfüge. Meine persönliche Kombination aus digitalem Morgensegen und kalter Dusche.

Das Wilde hat doch einen Sinn: Es möchte in den Blick nehmen, was die Seuche so brutal beleuchtet hat. Wie konnte es mit uns so weit kommen? Was ist da genau geschehen in den letzten Jahren und Jahrzehnten? Was hat die österreichische Gesellschaft, in der die Welt angeblich stets die Probe hält, zumindest als Versuchsstation des Weltuntergangs, von einer gemäßigt solidarischen zu einer unmäßig gierigen gemacht, der alle Maßstäbe abhandenzukommen drohen? Gab es Tipping-Points, und wo waren diese? Was sagen uns die Reaktionen auf die Pandemie über den Zustand des politmedialen Komplexes und seine Reife? Was lernen wir über den Stand des autoritären Kapitalismus, dem diese Seuche entsprang?

Was über die Auflösung einer Öffentlichkeit, die von der Postaufklärung hinüberdriftet in einen präabsolutistischen Zustand? Warum ging und geht das alles, um das Wort endlich zu nennen, anstandslos vor sich?

Nämlich ohne Anstand der Protagonisten. Und wenig beanstandet von den Betroffenen. Oder wenn beanstandet, dann mit möglichst wenig Anstand, allenfalls als Retorsion auf erhobene Anschuldigungen, als vorauseilende Selbstverteidigung, als Untergriff, als Hetze, als Desinformation und als desinformierter Aufstand, etwa von sogenannten Coronaleugnern, anderswo auch Wahlleugnern, Election-Deniers.

Anstand. Ein Begriff, der bei der Linken in keinem hohen Ansehen steht. Ein Allerweltswort, vor allem von Reaktionären üppig gebraucht. SS-Chef Himmler führte es 1943 im Mund, als er in seiner berüchtigten Posener Rede vor Gauleitern sagte: »Von euch werden die meisten wissen, was es heißt, wenn hundert Leichen beisammenliegen, wenn fünfhundert daliegen oder wenn tausend daliegen. Dies durchgehalten zu haben, und dabei – abgesehen von Ausnahmen menschlicher Schwächen – anständig geblieben zu sein, das hat uns hart gemacht. Das ist ein niemals geschriebenes und niemals zu schreibendes Ruhmesblatt unserer Geschichte …« Sollte das Wort danach nicht für alle Zeiten diskreditiert sein?

Immerhin kann man zur Kenntnis nehmen, dass Anstand ein bürgerlich-kleinbürgerlicher Kampfbegriff gegen den Feudaladel war, aber selbstverständlich auch der Inbegriff der Heuchelei, der verlogenen Wohlanständigkeit. Es geht weniger darum, Anstand zu fordern, sondern sein Fehlen gerade bei denen zu konstatieren, die am leidenschaftlichsten auf ihn pochen, jenen Anwälte der »Anständigen und Fleißigen«, die sich dann oft als die unverschämtesten Nehmer, Abgreifer und Korruptionisten herausstellen. Anstand hat mit Würde zu tun;

auch Würde besaß ja eine soziale Sprengkraft, als die empörten Bürger darauf hinweisen konnten, dass im Feudalismus die Würde des Amtes und jene der Person allzu oft auseinanderfielen.

Der Anstand des österreichischen Bürgertums, zumindest von großen Teilen seiner politischen Vertretung, ging offenbar verloren. Wann und wo genau verloren die ihre Würde? Als sie mit den Rechtsextremisten der FPÖ koalierten? Als jene türkise Gang, die Sebastian Kurz ins Kanzleramt schummelte, weder Umfragebetrug noch Medienkorruption scheute? Als sie bloße Popularitätshascherln wie den nicht rechtskräftig wegen Untreue und Beweismittelfälschung verurteilten Karl-Heinz Grasser in Spitzenämter emporhoben und gewähren ließen? Als sie Konzepte wie die ökosoziale Marktwirtschaft oder gar der katholischen Soziallehre aufgaben, die unter Kanzler Wolfgang Schüssel durch eine Art Austro-Neoliberalismus ersetzt wurden und dann, unter Kanzler Kurz, durch eine Art Austro-Trumpismus?

Es gibt das eine oder andere, das man für den Anstand vorbringen könnte. Im Anschluss an Kant sagt der Philosoph Dieter Thomä dazu: »Wer anständig ist, tut so, als ob er moralisch wäre, und wird es damit am Ende selbst.« Dass selbst das Tun, als wäre man anständig, in Österreich aus der Mode kam, zeigt den Ernst einer Lage, in der es kein moralisches Halten gibt.

Das hat im Übrigen mit der Kritik des Moralisierens wenig zu tun. Diese soll vor allem diskreditieren oder Kritik entwerten. »Der moralisiert ja nur.« Moralisieren als das verlogene Vorschützen von Moral ist abzulehnen. Aber damit gleich Moral selbst zu diskreditieren, also die Anleitung, wie wir richtig handeln und leben sollen, mit einem Bann zu belegen, hieße doch, das Kind mit dem Bad auszuschütten.

Also ist der Begriff des Anstands vielleicht für dieses Unternehmen doch brauchbar. Denn er bezeichnet jenes eingefleischte, anerzogene Wissen über Dinge, die man tut und die man lässt. Sein Fehlen leuchtet in beinahe jeder Einzelszene auf, die uns das österreichische Schauspiel vor Augen führt. Ein Essay wie dieser kann nur Einzelheiten exemplarisch aufrufen; es bedürfte eines Marstheaters, sie alle festzuhalten.

Außerdem ermüden Details. Mittlerweile gibt es Bücher über Bücher, die detailliert beklagen, was in der Republik Österreich alles schieflief. Das politische Theater wurde zur Farce, und mehrfach wurde die Untergrenze dieses Genres zur billigen Schmiere unterschritten. Liebhaber des höheren Blödsinns finden jedoch in den Repräsentanten hiesiger Politik idealtypische Darsteller einer Polit-Operette.

Die vollen Säle der Kabaretts biegen sich vor Lachen, wenn man nur einen jener Sätze zitiert, die einen nicht lachen, sondern gruseln machen müssten: »Wir sind die Hure der Reichen«, tippte der Spitzenbeamte Thomas Schmid ins Handy. Das digitale Bramarbasieren dieses Günstlings von Sebastian Kurz fiel der Wirtschafts- und Korruptionsstaatsanwaltschaft in Form von Chats in die Hände und ließ den ganzen Schwindel der Türkisen auffliegen.

»Novomatic zahlt alle«, gab der großsprecherische Führer der rechtsextremen Partei zu Protokoll, als er auf Ibiza in eine ihm gestellte Videofalle tappte. Gerade hatte dieser Heinz-Christian Strache noch Platz eins in den Umfragen belegt und Österreichs Öffentlichkeit in Angst und Schrecken versetzt. Erst als man nur ihm zutraute, Strache zu zähmen, kam Sebastian Kurz an die Macht in der ÖVP und danach ins Kanzleramt. Das Zutrauen beruhte auf einer Charisma-Fiktion, auf fabrizierten Umfragen, welche die Zugkraft von Kurz als Lüge ins gekaufte Leben eines Boulevardmediums riefen, worauf sie wirklich kräftig zu ziehen begann.

So reizvoll, charmant und kurios sich all das vielleicht von außen ausnimmt, in Sprachräumen, die meinen, mit uns nicht den Raum, aber die Sprache gemeinsam zu haben, so wenig ist es nötig, ja überhaupt noch möglich, sich dabei im lokalen Rahmen zu halten.

Dieser entbehrt nicht des schlingelhaften Lokalkolorits, passt sich aber durchaus ein in eine Europäische Union, die wiederum selbst von den Rändern her durch Auflösung bedroht ist, von eben jenen Leuten, die sich als die Retter abendländischen Anstands verstehen, wie zum Beispiel dem ungarischen Präsidenten Viktor Orbán. Unversehens kamen mit den Kabinetten Kurz I und II Auflösungstendenzen aus dem Zentrum. Die ungelösten Widersprüche dieses Zentrums werden in der Folge des Ukraine-Kriegs so richtig unangenehm sichtbar und spürbar. Was nützt der schönste gemeinsame Markt, wenn seine Regeln nicht stimmen? Woher soll politischer Zusammenhalt kommen, wenn nur der ökonomische Profit den kleinsten gemeinsamen Nenner aller Beteiligten darstellt? Wer schafft Übereinkunft, wenn das Zentrum nicht mehr hält?

Und wer könnte die europäische Szene ohne globale Zusammenhänge sehen? Die Globalisierung ist unhintergehbar, nicht nur der digitalen Finanzkaskaden und der ständig rasselnden Lieferketten wegen. Der Ukraine-Krieg hat die europäischen Illusionen einer dritten oder vierten Weltmacht platzen lassen; die EU steht unübersehbar als der Vasall der USA da, in Soft Power und in harter militärischer Währung, in Rohstoffabhängigkeit und digitaler Unterwerfung.

Umso gewichtiger wirkt sich nun aus, was einst nur wie zarte Andeutung aussah: die von fast familiärer Sympathie getragenen Besuche von Kurz bei Donald Trump und dessen Schwiegersohn Jared Kushner, seine Gastspiele bei Events der US-Tech-Elite, aber auch seine Handelsverträge mit Putins Russland und die Installation einer putinfreundlichen Schicht von Managern, allen voran des Unternehmers Siegfried Wolf, der beinahe Chef der staatlichen Beteiligungsverwaltungsgesellschaft ÖBAG geworden wäre und bei deren personeller Besetzung mitredete.

Es gibt transatlantische Zusammenhänge des alten, neuen rechten Denkens, das sich selbst als durch und durch anständig definiert. Dieses Denken tritt für die Religion als oberste Instanz (als Segen für die unbefragbare Autorität des Autokraten) und für Sitte und Ordnung eines neuen evangelikal gefärbten Christentums ein. Dieser unanständige Christkonservativismus ist international, und er ergänzt auf (religions-) philosophische Weise die ökonomische Propagandaoffensive der neoliberalen Schule des Friedrich August Hayek. Nicht von ungefähr heuerte Sebastian Kurz ausgerechnet bei einem Unternehmer an, der alle Eigenschaften der neuen antidemokratischen amerikanischen Rechten geradezu idealtypisch in sich vereint: bei Peter Thiel.

Nationalratspräsident Wolfgang Sobotka und Kurz pflegten auch eine enge Zusammenarbeit mit dem Orbán-Regime, die so weit ging, dass sie nach der Mitteilung des ehemaligen Bundeskanzlers Kern und seines Ministers Thomas Drozda ein mögliches Flüchtlingsabkommen der österreichischen mit der ungarischen Regierung hintertrieben. Sie stellten die Internationale der Rechten über die Interessen der Republik Österreich. Das ging anstandslos durch – niemand von Relevanz fragte danach, ob einer wie Sobotka in seinem Amt als Nationalratspräsident bleiben könne (Kurz war, als die Sache aufkam, schon längst abgetreten).

Ich erzähle im nächsten Kapitel, wie mir Sebastian Kurz schon im Frühsommer 2015 in Stift Göttweig seine Sympathien für angelsächsische politische Ideen mitteilte. Zu meiner Überraschung war ich beim vom niederösterreichischen Landeshauptmann Erwin Pröll veranstalteten Europa-Symposium als Redner geladen. Stand ich damals in der Gunst Niederösterreichs so hoch, dass ich bei hochrangigen Veranstaltungen sprechen durfte, schiene mir das heute schlechthin undenkbar. Wie kam es dazu? Der *Falter* hatte eine Geschichte über Niederösterreichs erstaunliche, nämlich erstaunlich gute Kulturpolitik gebracht. Das passte nicht in die Logik der österreichischen Medien. Ein linkes Blatt lobt ein konservatives Land – da musste etwas dahinterstecken. Ein Schwenk? Ein Annäherungsversuch? Dass es sich nur um eine Recherche handelte, wollte niemand glauben.

Als Jahre später eine andere *Falter*-Recherche aufdeckte, dass sich der Landesvater Pröll an demokratischen Gremien vorbei eine Stiftung finanzieren ließ, waren die Fronten wieder klar. Der *Falte*r (und ich mit ihm) konnte in Niederösterreich auf den Status des Feindmediums zurückgestuft werden. Als Festredner bin ich dort passé.

Was habe ich gelacht, sagte ich. Was habe ich gelacht, als ich las, zwei Altvordere der christlichsozialen Partei hätten sich zurückgezogen, um nachzudenken. Sie hätten wahrscheinlich gesagt, um eine neue Vision zu suchen, aber Visionen sucht man nicht, die suchen einen.

Die beiden Männer könnte man folgendermaßen charakterisieren. Der eine sieht Benito Mussolini ähnlich, benimmt sich wie ein Leibwächter, redet wie ein Pülcher, und seine Syntax kommt ihm mitunter derart durcheinander, dass freundlich gesinnte Medien Interviews nicht mehr im Originalton bringen. Als niederösterreichischer Finanzlandesrat verspekulierte er sich mit Wohnbaugeldern, sodass das schwarze Land eine Milliarde Euro verlor; das hinderte ihn nicht daran, sich abfällig über Liquiditätsprobleme der roten Wien Energie zu äußern, die sich am Ende als Spekulationsgewinne herausstellen könnten.

Der andere hat das Aussehen einer gewaltigen Spitzmaus, gewaltig nicht wegen seiner Größe, sondern wegen seiner Entschlossenheit, sich nichts gefallen zu lassen, und wenn er etwas sagt, dann in der überlegenen oberösterreichischen Sprachmelodie des »Mir-san-mir-deswegen-regiern-nur-mir« – zugleich ansteigend und abfällig, welch sympathisch heimatlicher Ton! »Es kann ja nicht sein, dass unsere Kinder nach Wien fahren und als Grüne zurückkommen. Wer in unserem Hause schläft und isst, hat auch die Volkspartei zu wählen!« Mit diesem Satz wurde er berühmt, vor allem, als seine Partei mit den Grünen eine Regierung bildete und er mit der grünen Klubobfrau ein Niedertrachtenpärchen der neuen Zeit.

Operettenfiguren? Ich rufe mich zur Ordnung. Geht es an, solche ehrenwerten Männer, die Spitzen unserer Republik, den Nationalratspräsidenten und den Klubobmann der mandatsstärksten Partei, als Mussolini und Maus despektierlich zu beschreiben und als Erstes ihre persönlichen Eigenschaften lächerlich zu machen? Dennoch möge mein Publikum verstehen, warum ich das tue: weil es ihre Lächerlichkeit objektiv erheischt. Es ist eines der Probleme, das die österreichische Gesellschaft quält, und diese nehmen wir, wie gesagt, nur als Bild für die Welt: Die Qualifikation des Führungspersonals hat drastisch abgenommen.

Manchmal denke ich mir, um mich zu trösten, das ist ein demokratischer Effekt, denn nur eine in ihren Fähigkeiten und Fertigkeiten angehobene Masse kann erkennen, dass die

Distanz zwischen ihr und ihren Anführern nicht so groß ist, wie man ihr immer weismachen wollte.

Andererseits wünscht man sich, respektable, anständige Personen in der Hierarchie des Gemeinwesens an der Spitze zu sehen, in deren Hände man beruhigt seine Macht delegiert. Doch das war einmal. In einer drastischen Kurve ging es bergab mit den Männern an der Spitze der Republik Österreich, und nicht allzu viele Frauen vermochten den Eindruck zu verbessern.

Sie und ich befinden sich in einem Essay, ich habe einen Plan, aber ich taste mich auch vom einen zum anderen fort, und wenn es Ihnen recht ist, stelle ich meine Überlegungen dabei fortwährend in Frage. Es ist Zeit auszusteigen, wenn Sie ein Werk voller Parolen, aufgeblasener Gewissheiten und forscher Festigkeiten suchen. Der Boden, auf dem ich mich bewege, bewegt sich. Auch das war immer so, aber ich spüre es stärker denn je.

Ich habe übrigens aufgehört zu lachen, und ich fürchte, Sie ebenfalls. Warum habe ich gelacht? Weil diese zwei Männer bekanntgaben, sie zögen sich zurück, um über Rezepte für ihre Partei nachzudenken, die Österreichische Volkspartei, und darüber, wie diese dem Sinkflug in der öffentlichen Gunst entkomme. Der Mussolini-Parodist steht stets am unteren Ende der veröffentlichten Beliebtheitsskalen. Für einen Parlamentspräsidenten ein unerhörtes, noch nie erreichtes Ergebnis.

Ihm werden wir ein eigenes Kapitel widmen, weil seine Karriere und sein Wirken einiges über den Stand des Konservativismus und vor allem über den öffentlichen Stilverfall aussagen. Ich lache nicht, weil eine Partei sich mit ihrer verzweifelten Lage befassen will, wo man sich doch mit dicken, von Politikberatern geschnürten Phrasenpaketen begnügen könnte. Nein, ich lache nur, weil die Auswahl der beiden die Hilflosigkeit,

Verzweiflung und das Desinteresse an wirklicher, also demokratischer politischer Erneuerung zugleich zeigt.

Dieses Desinteresse sehe ich nicht nur rechts, sondern auch links und überhaupt überall. Das Ende herkömmlicher Politik ist zu beklagen. Politik als öffentlichkeitsbestimmende, öffentlich räsonierende Kraft scheint aufgegeben zu haben. An ihre Stelle ist Identitätspolitik getreten, jener Mix aus Befindlichkeiten, Wirrnis und Verwirrung des Einzelnen, aus Desinformation und Demagogie, der das fragile Wesen Demokratie von innen her auffrisst.

In den USA führt dieser Vorgang an den Rand des Bürgerkriegs. Damit sehen sich demokratische Staaten in aller Welt tendenziell ihres schützenden Hegemons beraubt. Der Diktatorensympathisant Donald Trump, der König Ubu im Weißen Haus, gab eine Probe dessen, was da kommen kann. Europa selbst, durch den von rechts finanzierten und mit Lügen durchgedrückten Brexit geschwächt, wird nicht nur von den Rändern her unterwandert.

Im Inneren unserer westlichen Gesellschaften, jetzt lache ich überhaupt nicht mehr, fehlt es nicht an Mini-Ubus. Unsere zwei Figuren zeigen durchaus solche Charakterzüge. Sie agieren im Sinne der revitalisierten Carl-Schmitt'schen Idee eines Freund-Feind-Schemas, das mit Mitteln der digitalen Vertrottelung, von Desinformation, Medienkauf, radikalisierter Religion und ökonomischen Voodoo wieder in die Politik gekommen ist. Es war nicht nur eine Schrulle, dass der Nationalratspräsident Sobotka öffentlichkeitswirksam erstmals Gebetsstunden im Parlament abhalten ließ. Die Dämmerung politischer Vernunft ist die Stunde der bösen Clowns, der anstandslosen Operettenfiguren.

2. DIE BESCHISSENE REPUBLIK: SEBASTIAN KURZ

Beschissen, das klingt unartig für dieses propere Wesen, diesen Inbegriff rosiger Positivität, wie man früher sagte. Für diesen zart blühenden Knaben, diesen Schönling mit kastanienbraunem Haar, sauber zurückgegelt, als wäre es die Lederkappe eines Autorennfahrers aus den 1930ern; für diesen durch und durch Anständigen, modern Anständigen – in einer Beziehung ja, Kind ja, Ehe nicht ausgeschlossen, aber noch nicht jetzt –; für diese manierliche Hoffnung von Europas Schwiegermüttern und Konservativen, für dieses fesche Gegenbild zur müden Angela Merkel, dieser Kompromiss-Sozialdemokratin im christlichsozialen Tarngewand. Niemanden wolle er anpatzen, mit diesem Slogan bewarb sich der Musterknabe vor der Öffentlichkeit für seine erste Kanzlerschaft. Diese mochte nur den Willen zum Sauberen, nicht aber das Fäkale am Patzen begreifen, nicht die Lust spüren, mit der er mit weinerlichem Aufbegehren in der Stimme beklagte, er werde schon wieder angepatzt, während er insgeheim – aber das bemerkte man erst später – selber lustvoll andere anpatzte. Es war eine Patzerei, die jeder frühkindlichen analen Phase zur Ehre gereicht hätte, nur dass sie halt in der Arena der Politik stattfand und unter Vorspiegelung falscher Tatsachen.

Ein Knabe war Kurz in der Tat. Er weckte eine doppelt puerile Assoziation. Einerseits erinnerte er mich an das Chint von Pülle, so nannten Zeitgenossen das politische Wunderkind Friedrich den Staufer, das Staunen Europas, welches Kurz ja auch zu erregen vermochte, bei modernen Mächten wie dem

Springer Verlag zumal. Andererseits evozierte er den *puer robustus*, eine historisch wiederkehrende Figur, an die der Philosoph Dieter Thomä im Zusammenhang mit Donald Trump und dessen disruptivem Politikkonzept erinnerte, eine Analyse, die ich ohne zu zögern auf Kurz anwenden konnte.

Die Wucht des Medienereignisses namens Kurz soll man gerade dann nicht vergessen, wenn der Komet dieses Anstandsstrebers zu verglühen scheint. Kurz hat zwei schmale Kanzlerschaften von jeweils zwei Jahren hinter sich, nach der ersten wurde er vom Parlament abgewählt, nach der zweiten zwang ihn der Koalitionspartner zum Rücktritt. Die Versuche zur Legendenbildung nehmen sich mittlerweile müde aus, lappen ins Läppische, stehen als bloße Manöver da, die eigene Haut vor der Justiz zu retten; und der Mann, der niemanden anpatzte, wird kenntlich als einer, der die ganze Republik beschiss. Andererseits aber setzt er unbeirrt seine Karriere in den politisch-lobbyistischen Teil des Finanzkapitals fort, und das bedeutet heutzutage, seine politische Karriere hat erst begonnen. Er ist und bleibt, um Nestroy zu paraphrasieren, ein Investor seiner selbst. Er strebt nicht mehr nach Anstand, nur mehr nach Geld und Macht.

Ich kannte den großen Kurz schon, als er noch ganz klein war. Zu jener Zeit wurde ich in Medien und zu Debatten mit dem damaligen Chefredakteur der Tageszeitung *Die Presse*, Andreas Unterberger, als Schwarzweißprogramm gecastet, bis sich der Spaß aufhörte, weil Unterberger ins allzu weit rechte Lager abdriftete und – nicht deswegen – von der *Presse* entlassen wurde. Eine dieser Debatten fand in der ÖVP-Zentrale statt. Für Kurz war die Veranstaltung eine Übungssache. Stocksteif saß er in einer Art Tweed-Sakko da, als hätte er sein Gewand aus dem Katalog für junge Lords im mittleren Management bestellt. Mir fiel er durch eindrückliche Nichteindrücklichkeit auf. Als ich etwas über die katholische Kirche und den Nationalsozialismus sagte und darauf hinwies, dass Adolf Hitler »Christus als den größten Vorkämpfer im Kampf gegen den jüdischen Weltfeind« bezeichnet habe, wachte er auf. Solche Zusammenhänge könne man doch nicht herstellen, protestierte er. Von Carl Schmitt absehend, der Hitler zum Wiedergänger von Jesus Christus erklärt hatte, fragte ich Kurz, ob er Friedrich Heers »Der Gaube des Adolf Hitler« kenne, aber er kannte nicht einmal Friedrich Heer. Dieser Linkskatholik und bedeutende Publizist war einer der wichtigsten österreichischen Intellektuellen der Nachkriegszeit. Ein sich katholisch gebender jungkonservativer Politiker, eine konservative Zukunftshoffnung sollte ihn kennen, dachte ich. Weit gefehlt: Auf sogenannte politische Substanz, also darauf, sein Tun mit geistigen Fundamenten zu unterlegen, verzichtete Kurz geradezu programmatisch.

Das hatte ich, hoffnungslos rückwärtsgewandt, damals aufs Erste nicht kapiert: Hier lag keine Lücke vor, deren er sich zu genieren gedachte. Hier war die Ignoranz Programm. Hier kam ein neuer Typus in die Politik, den seine Bindungslosigkeit und sein politischer Agnostizismus dazu führten, sich auf reinen Machiavellismus zu beschränken. Agnostizismus bezieht sich auf das Wesen der Politik: Kurz hatte erkannt, dass der verzweifelte Versuch, Politik auf Weltanschauung zu gründen – in seinem Fall hätten sich die katholische Soziallehre und die Idee der ökosozialen Marktwirtschaft angeboten –, Teil jenes konservativen Problems war, das er mit alexanderhafter Wucht zu lösen gedachte. Den gordischen Knoten aus miteinander konkurrierenden Ideologien, die sich zur Verschlingung von Staat und Gesellschaft schürzten, den Knoten aus katholischer Soziallehre und Raubtierkapitalismus, von ländlichen Genossenschaften und internationalem Rustikalkapital löste er mit einem einfachen Streich, indem er sich gegen den Staat entschied und das Motto seines Vorläufers Wolfgang Schüssel radikalisierte: mehr privat, weniger Staat.

Politik reduzierte er auf das von Carl Schmitt popularisierte Konzept der Freund-Feind-Beziehung und begriff sie von Anfang an als eine Frage der Macht und der richtigen Beratung. Man musste die Macht in der Partei von außen ergreifen, nicht über die Bünde, deren Einzelinteressen und deren divergierende Ansprüche die Volkspartei lähmten, nicht über die Sozialpartnerschaft, in der die alten Koalitionspartner Rot und Schwarz ihren sublimierten Bürgerkrieg zur Totalblockade gesteigert hatten, nicht über die Bundesländer, die den jeweiligen Parteichef, gleich ob Vizekanzler oder Kanzler, nur als ihren Unterläufel betrachteten. Mit einem Wort, man musste ein Parteipolitiker sein, dem man von außen den Parteipolitiker nicht ansah und der die Partei nach innen mit dem Versprechen bezwang, ein ganz anderer zu sein. Nur so konnte er Hoffnungen schüren, dass endlich ein Neuanfang gelingen möge.

Heute nennt man die Zerschlagung des gordischen Knotens Disruption. Sebastian Kurz war nach Jörg Haider der zweite disruptive Politiker der Zweiten Republik Österreichs. Unser zweiter *puer robustus*. Dass er im Rahmen der konservativen ÖVP blieb, war nicht ausgemacht; offenbar spielte er mit der Idee eines parteilichen Neuaufbruchs nach dem Muster Emmanuel Macrons und führte auch Gespräche mit den NEOS, einer aus abtrünnigen liberalen ÖVP-Mitgliedern bestehenden Parlamentspartei. Dem Zeugnis von Matthias Strolz zufolge, dem Gründungsobmann der NEOS, beendete dieser die Gespräche, als sich ihm sein Gegenüber Sebastian Kurz als abgebrühter Lügner zu erkennen gab. Nicht nur im Nachhinein kann man das als leicht überempfindlich qualifizieren, denn die Lüge gehört zur Politik wie der Pool zur

Hollywood-Villa; es kommt immer auf die Umstände und die Art der Durchführung an.

Kurz, das erregte den leicht erregbaren Strolz und seine Mitstreiter vermutlich am meisten, gehört zu jenem soziopathischen Typus, der nichts dabei findet, alles zu unternehmen, was ihm selbst nutzt, und alle zu verachten, die dabei nicht bis zum Äußersten gehen. Er ist darin Jared Kushner frappierend verwandt, dem Schwiegersohn Donald Trumps, mit dem er sich bei seinen USA-Besuchen, wie berichtet wurde, glänzend verstand und mit dem er ganze Abende verbrachte. Kushner geht es, wie die *New York Review of Books* bemerkte, immer nur um den besten Deal. Für seinen Auftraggeber, wer immer das ist, vor allem aber für ihn selbst. Besser könnte man eine Geistesverwandtschaft nicht skizzieren.

Warum Kurz? Es ist eines der Mysterien der österreichischen Publizistik, dass sie inmitten einer Periode des Friedens, des Wachstums und des Wohlstands die Idee ins Unüberhörbare verstärkte, die Politik, die all das herbeigeführt hatte, also die Koalition von Rot und Schwarz, habe das Land mit einer unerträglichen Lähmung überzogen, habe zu einem quälenden Stillstand geführt, der jeden Fortschritt verhindere, und müsse demnach dringend durch etwas anderes ersetzt werden.

Märchenhafterweise reüssierte diese völlig faktenwidrige Erzählung auf dem Gipfel des sozialen Erfolgs, zur Hochzeit des Wohlfahrtsstaats. Dieser Wohlfahrtsstaat wurde als bevormundend empfunden, das Regime der Parteien, die ihn trugen, hatte sich tatsächlich weit über Gebühr ausgebreitet und schuf das Gefühl, individuelle Tüchtigkeit zähle nichts, Parteiloyalität alles. In der Tat waren in den staats- und parteiendominierten Teilen von Wirtschaft und Verwaltung Zustände korrupter Parteibuchwirtschaft endemisch geworden.

Aber erst, als die Allmacht der Parteien und der staatlichen Wirtschaftsbereiche im Zuge der seit den 1970er Jahren rollenden neoliberalen Welle zurückgedrängt wurde, nahm die Rede vom unerträglichen Stillstand richtig Fahrt auf. Schon in der Debatte über den EU-Beitritt Österreichs in den frühen 1990er Jahren versprachen sich selbst damalige Postmarxisten wie der Philosoph Rudolf Burger davon ein »Öffnen der Fenster« gegen die heimische Stickigkeit.

Das Märchen bestand darin, dass unter privatisierten Verhältnissen die Dominanz der Parteien durch die Würdigung von Fähigkeiten und Qualifikationen abgelöst werden würde. Schmeck's! Die ÖVP konnte ihre Dominanz umso unverschämter entfalten, als ihre Politik darauf ausgerichtet war, »der Wirtschaft« freie Bahn zu verschaffen, wofür sich diese durch Spenden und Karrieren erkenntlich zeigte. Die Pointe dieses Märchens bestand darin, dass der Jugendgeneration der Kurzisten, einer Blase innerhalb der Jungen Volkspartei, die im Windschatten ihres Obmanns Sebastian Kurz ihre Karrieren anlegte, vor allem aber dass Kurz selbst wundersame reformistische Fähigkeiten zugeschrieben wurden. Die lähmenden Giftschwaden der rot-schwarzen Kontrollzeit würden verblasen von diesem frischen türkisen Raumspray, so lautete die allgemeine Hoffnung.

Mehr als heiße Luft war das nicht, und die öffentlich gewordenen Chat-Unterhaltungen der Kurz-Gruppe nahmen dem Raumspray auch den letzten Anschein von Frische und offenbarten ihn als das, was er war: alter Mief aus neuen Spraydosen. Aber irgendwie war es diesem Kurz gelungen, im Märchen die Rolle von Prinz Atemfrisch zu spielen, der aus dem politischen Werbespot sprang, der aus seiner Partei Schwarz raus- und Türkis reinzwang und das Land vom Joch der Fremdbesetzung und der liberalen Meinungsdiktatur befreite, indem er die sogenannte Balkanroute schloss und die europäischen Konservativen wieder konservativ machte, indem er sie an den Kosmos der illiberalen Demokratien anschloss. Oder so.

Wie konnte dieser Schwindel gelingen?

Erstens, weil die Erzählung vom Erfolg des Sozialstaats nicht mehr funktionierte. Die Idee, materielles Wohlergehen habe im Zentrum politischer Beurteilung zu stehen, verfängt in dem Moment nicht mehr, da dieses Wohlergehen einigermaßen erreicht ist. Dann treten andere Dinge ins Bewusstsein: die Nachteile des Parteienstaats, Nepotismus und der Sieg der Zugehörigkeit über Tüchtigkeit zum Beispiel. Das entstehende Ressentiment gegen die Parteiendemokratie hatten zuerst Boulevardmedien wie die *Kronen Zeitung* artikuliert; Jörg Haider hatte es als Erster politisch für sich genutzt. Nicht von ungefähr tat er so, als wäre die von ihm geführte Partei keine, sondern eine Bewegung. Was heute umstandslos als Korruption verstanden wird, bildete die Grundlage der Zweiten Republik: Postenschiebung.

Das Ressentiment gegen den Sozialstaat muss aber auch in der größeren Perspektive der neoliberalen Propagandaoffensive gegen den Sozialstaat gesehen werden. Die den Sozialstaat tragenden Parteien begünstigten, ja befeuerten dieses Ressentiment durch ihre Praktiken. Ihr Proporz machte es allen klar, dass nicht Leistung oder Können zählten, sondern das Parteibuch. Kurz sah sich einer Situation umfassender mentaler Erschöpfung gegenüber, die er nutzen konnte, wenn er es richtig machte. Die Lage schien bedrohlich, ihre Nutznießer kamen naturgemäß von rechts. Nach dem Tod des dämonischen Jörg Haider im Oktober 2008 konnte selbst der vergleichsweise schlichte und dumpfbackige Heinz-Christian Strache in den Umfragen die erste Stelle erobern.

Wer hier dagegenhalten wollte, durfte also erstens keiner

herkömmlichen Partei angehören. Zweitens musste er den Aufstieg seiner unüberwindlichen, prinzenhaften Tüchtigkeit verdanken. Drittens musste er das den Medien beibringen, die mit dem Ressentimentgewerbe gute geschäftliche Erfahrungen gemacht hatten und nach einer reinlicheren Führerfigur lechzten. Und viertens musste er klarstellen, dass er das Monopol der rechten Konkurrenz auf die Migrationsfrage brechen konnte.

Sebastian Kurz hatte von den historischen Dimensionen des Problems kaum eine Ahnung, erfasste aber die aktuelle Aufgabe. Und seine Chance. Im Rückblick lässt sich leichter erkennen, wie sehr die singuläre Erscheinung, die er abzugeben schien, sich in mehrere international zu beobachtende Tendenzen einpasste: in eine Renaissance neuer Autokraten, wenn nicht eine des narzisstischen Polit-Gangstertums; in die Zersetzung der EU; in die Zerstörung sozialstaatlicher Reste und des Staates überhaupt; und in eine neue Form von Medienusurpation – im doppelten Sinn: Machtergreifung in den Medien und Machtergreifung durch die Medien.

Wenige Jahre nach unserer ersten Begegnung war Kurz 24 Jahre alt und Staatssekretär für Integrationsfragen. Vorgeschlagen hatte ihn der Parteiobmann der ÖVP und Vizekanzler Michael Spindelegger, welcher der Nachwelt durch ein flottes Engagement beim ukrainischen Oligarchen Dmitri Firtasch unmittelbar nach dem Ende seiner episodisch kurzen politischen Ära im Gedächtnis bleibt, mir aber vor allem durch eine seiner Aktionen als Außenminister. Er verlegte die erste Botschafterkonferenz seiner Amtszeit als Außenminister ins ungarische Pannonhalma, eine Abtei, in der sich die Herzgruft der Habsburger befindet. Als Redner waren zwei Neofaschisten geladen, der ungarische und der italienische Außenminister. Man hat den unbeholfen wirkenden Spindelegger, der naturgemäß aus der niederösterreichischen ÖVP stammte, nie ganz ernst genommen. Aber er hatte eine Linie, und in Pannonhalma zog er sie mit wünschenswerter Deutlichkeit. Die Affinität des Sebastian Kurz zu Ungarn und Reaktionären jeglicher Provenienz war nicht autochthon. Sie wurde ihm, wie vieles andere, in die Laufbahn gelegt.

Als Staatssekretär für Integrationsfragen von 2011 bis 2013 verhielt sich Kurz geschickt neutral; er setzte keine harschen Maßnahmen und versuchte den Eindruck zu hinterlassen, er höre sich an, was die Akteure in dieser gesellschaftlichen Arena zu sagen hatten. Das verlieh ihm den Nimbus eines Liberalen und stattete ihn mit einer weicheren und hoffnungsvolleren Aura aus, wie sie erbarmungslos grauen Konservativen in der Regel nicht anhaftet. Hinter den Kulissen ließ er durch seine Mitarbeiter Papers eines islamischen Religionswissenschaftlers in seinem Sinn bis zu dessen öffentlichem Protest zuspitzen, leugnete öffentlich aber jede Verantwortung dafür.

Als mich eine mir bekannte PR-Beraterin im Frühjahr 2013 zu einem ihrer Abendessen einlud, um mit ihm ein Gespräch zu führen, sagte ich gern zu. Diese Abendessen, »Tafelrunde« genannt, führten etwa drei Dutzend Manager und Journalisten zusammen, bei denen als unterhaltsame Einlage mehr oder weniger bekannte Menschen ihre Rollen tauschten. Sozialminister Rudolf Hundstorfer interviewte die stellvertretende *Kurier*-Chefredakteurin Martina Salomon, Ex-ORF-Generaldirektor Gerhard Zeiler die ORF-Moderatorin Barbara Stöckl und so weiter. Ich war Gast bei einigen dieser Essen gewesen und hatte gesehen, wie die Sache läuft. 15 Minuten harmloses Geplauder mit etwas Tiefgang, freundlicher Applaus, hinsetzen, weiteressen.

Nun also sollte Kurz mich interviewen. Ich rechnete mit einem halbwegs eleganten Austausch von Aperçus zum Thema Journalismus und Politik und bereitete mich nicht extra darauf vor. Anders als Kurz. Er hatte eine von seinem Pressesprecher Gerald Fleischmann vorbereitete Mappe dabei, aus der er mir Zitate aus dem *Falter* vorhielt, und zwar im Stil eines aggressiven TV-Moderators. Es war, als wolle er sich an mir für alles rächen, was ihm der Journalismus bis dahin angetan hatte (wenig genug, er empfand es aber bereits als tiefe Kränkung). Die Situation war peinlich: Ich hatte nur die Möglichkeit, mich durch Zurechtweisung des Aggressors zu entziehen oder durch aggressives Reagieren die Situation zu verschärfen, aber beides hätte, dachte ich, die Gastgeberin gekränkt. Also versuchte ich, mich mit defensiver Höflichkeit über eine nicht nur mir peinlich erscheinende Situation hinwegzuretten.

Es wurde kein Knockout, aber ein schweres technisches K. o. an einem durch sein Taktgefühl wehrlos Gemachten (mir), was der Angreifer gnadenlos ausnützte. Eine Vorführung, zu der führende schwarze Granden im Publikum, offenbar in den Plan eingeweiht, begeistert johlten. Ihr Jungstar hatte eine erste Feuerprobe bestanden. Andere fühlten sich von dieser Darbietung fehlender Manieren und dieser mir gegenüber schlicht unanständigen Aktion unangenehm berührt und sagten mir das auch.

Einiges daran kam mir dann doch seltsam vor. Dreißigmal habe der *Falter* in den letzten Jahrzehnten »schwere Vorwürfe erhoben«, hielt mir Kurz zum Beispiel vor. Eine Archiv-Recherche ergab, das Wort kam gerade zehnmal vor. Ein Bildtext, den Kurz mir vorlas, stammte nicht aus dem *Falter*, sondern aus dem *Standard*. Der Bildtext im *Falter* war kritisch, jener im *Standard* untergriffig. Einen Kommentar von mir zitierte er falsch. Auf die Idee, der Gute würde mich, getarnt als empörtes Medienopfer, coram publico belügen, war ich in meiner Naivität nicht gekommen. Als ich seine Zitate falsifiziert hatte, rief ich Kurz an. Er entschuldigte sich und lud mich zu einem Lunch ein.

In einem chicen vegetarischen Restaurant der Wiener Innenstadt war er Stammgast. Als er mich fragte, ob ich ihn als Außenminister für geeignet hielte, studierte ich kurz die rosarote Tischdecke und antwortete mit Nein. Auf meine Frage, wie lange er in der Politik bleiben wolle, sagte er, höchstens zehn Jahre, danach wolle er in die Wirtschaft, klar. Aus der Politik könne er nicht unvermittelt abtreten, das sei er den Hunderten, ja Tausenden Menschen seines Gefolges schuldig. Er sagte nicht Gefolge, er sprach, glaube ich, von Menschen um oder hinter sich. Beim Abschied vereinbarten wir, die peinliche Episode beim Abendessen auf sich beruhen zu lassen, wie man das Schweigen in unseren Kreisen vornehm nennt.

Diese Episode am Anfang der Karriere von Sebastian Kurz zeigte ihn mir von einer Seite, die später in voller Pracht hervortrat, und verschaffte mir neben der persönlichen Blamage einen Erkenntnisvorsprung gegenüber anderen politischen Journalisten, die Sebastian Kurz nicht nur nicht durchschauten, sondern sich als seine Fans benahmen.

Ich begnügte mich mit einem Mail an die Teilnehmer des Abends, in dem ich einige der von ihm aufgestellten faktenwidrigen Anschuldigungen richtigstellte. Ich hätte nie mehr über die Sache gesprochen, wäre nicht vier Jahre später im *Spiegel* ein Porträt mit folgender Passage erschienen: »Kurz gilt als nachtragend, Gegner merkt er sich. Wenn ihm ein führender Publizist ›zivilisierten Orbanismus‹ oder ›Strachismus mit rosigem Teint‹ vorwirft, dann erwidert er so: ›Der hat noch immer Schaum vor dem Mund, weil ich ihn bei einer öffentlichen Veranstaltung mal vorgeführt habe.‹«

Danach schien es mir Zeit, als »mal Vorgeführter« meinerseits das Schweigen zu brechen. Ich wischte mir den Schaum ab und berichtete in meinem wöchentlichen *Falter*-Kommentar, wie ich die Vorführung erlebt hatte. Nicht nur das. Ich verglich Kurz zum Missfallen vieler Kollegen mit Donald Trump, weil dieser zutreffend als »Con-Man« analysiert wurde, als Schwindler und Trickbetrüger, bei dem man nicht weiß, was man glauben kann, und dem jedes Mittel und jeder Trick recht ist, um an die Macht zu kommen. Solche Behauptungen hörte man über den im Steigen begriffenen Stern des europäischen Konservativismus ungern. Der Kollege vom *Spiegel* verbarg mir nicht seine Skepsis über meine Ansicht von Kurz. Die Aufträge deutscher Medien, die sich stets für die österreichische Rechte interessiert hatten, wurden spärlicher. Redakteure berichteten von konservativen Shitstorms aus der österreichischen Provinz nach meinen Artikeln. Selbst in der Redaktion teilten mir manche Kollegen mit, Kurz sei doch freundlich, auffassungsschnell und lernfähig, eine erfrischende Erscheinung in der österreichischen Politik. Meine Antwort, freundlich, auffassungsschnell und lernfähig sei ich selber, wurde als Neid eines alten Linken grummelnd zur Kenntnis genommen. Als Kurz-Kritiker konnte man im Jahr 2017 das Gefühl haben, zu vereinsamen.

Ein Jahr vor seinem Wahlsieg traf ich Kurz noch einmal. Es war beim Europaforum im Stift Göttweig, einem konservatives Repräsentationsfest, veranstaltet vom allmächtigen niederösterreichischen Landeshauptmann Erwin Pröll, der damals noch hoffte, als Bundespräsident kandidieren zu können, und sich im prunkvollen Kloster staatsmännisch inszenierte. Ich war als Garnitur geladen – einen »Querdenkerredner« brauchen solche Programme – und hatte mir das Thema europäischer Kommunikationspolitik ausgesucht, das auf ausgesuchtes Desinteresse stieß.

Aufschlussreicher war das anschließende Mittagessen auf der Terrasse, unter anderen mit dem Kurz in offenbarer Freundschaft zugeneigten jungen ungarischen Außenminister Péter Szijjártó und dem damaligen tschechischen Finanzminister Andrej Babiš. Flankiert von seinem Paten Erwin Pröll, erklärte mir der nunmehrige Außenminister Kurz aufgeregt, dass sowohl David Cameron als auch Boris Johnson mit ihren Flüchtlingskonzepten recht hatten, die Australier, die Asylwerber auf einer einsamen Insel internierten (unter inhumanen Umständen, füge ich hinzu), sowieso. Die Caritas und andere menschenrechtlich engagierte NGOs seien hingegen nichts als profitgierige privatwirtschaftliche Konzerne, das müsste doch gerade mich als Linken interessieren. Während Pröll in der Sonne schwitzte, zeigte Kurz keine einzige Schweißperle, aber immerhin erregte zartrosa Bäckchen.

Mich interessierte – neben der manifesten Unterstützung durch den *Strongman* Pröll, was die Position von Kurz unanzweifelbar stark erschienen ließ – jedoch eher die aus der europäischen Rechten stammende politische Grundlegung dessen, was dann als Wahlargumentation des jungen Kanzlerkandidaten Kurz sichtbar wurde. Diese Argumentation beschränkte sich vordergründig auf zwei Dinge: einmal auf die Silberstein-Affäre der SPÖ (ein israelischer Berater der SPÖ hatte zur Methode des *Dirty Campaigning* gegriffen, was die ÖVP zu antisemitischen Untertönen und zur anstandsgeschwellten Zurückweisung des Anpatzens animierte – eine historisch erprobte Idealkombination). Zum anderen auf die Behauptung, die Balkanroute geschlossen zu haben.

Kurz steuerte in jedem öffentlichen Interview plump auf das Schlagwort »Balkanroute« hin, egal, ob man ihn nach dem Wetter oder dem Kleid seiner Freundin fragte. Dieser unerträglich schlichte Diskurstrick galt als Beweis für Kurzens rhetorische Brillanz, war aber eher der Beweis seines Willens zur Penetranz. Allerdings hatte er damit ein Schlagwort gefunden, mit dem er seinen sozialdemokratischen Rivalen, Bundeskanzler Christian Kern, auf dessen verwundbarstem Terrain traf. Kern hatte als Chef der Österreichischen Bundesbahnen (ÖBB) die Migrationskrise 2015 insofern glänzend gemanagt, als er für reibungslose Durchfahrt möglichst vieler Asylsuchender durch Österreich sorgte. Er galt seither als fremdenfreundlicher Humanist. Mit dem Wort »Balkanroute« ließ Kurz diesen Humanismus als Gefährdung der österreichischen Menschheit erscheinen. Kurz hatte übrigens keineswegs die Balkanroute geschlossen, stellte sich aber in der Öffentlichkeit so dar. Es war die geschichtsphilosophisch meist von extrem Rechten herbeizitierte Figur des Katechon, des Antichristen, die er damit für sich reklamierte. Ohne sie zu nennen, selbstverständlich; vielleicht auch, ohne sie zu kennen.

Wie obszön die Behauptung von Kurz war, er würde niemanden anpatzen, wurde der Öffentlichkeit erst Jahre später klar, als die Chatprotokolle des ehemaligen Generalsekretärs im Finanzministerium und späteren ÖBAG-Chefs Thomas Schmid bekannt wurden, aus denen unter anderem hervorging, wie Kurz nicht nur dem Bundeskanzler Kern, sondern seinem parteiinternen Rivalen Vizekanzler Reinhold Mitterlehner jeden kleinsten Erfolg missgönnte, im Zweifelsfall zum Schaden der Republik, zumindest der Öffentlichkeit.

Die eigene Position hingegen ließ er in der Öffentlichkeit durch gefälschte Umfragen besser darstellen, als sie war. Diese Umfragen erschienen in der Boulevardzeitung *Österreich*, finanziert wurden sie auf dem Umweg über Inserate des Finanzministeriums, da Kurz 2016 als Außenminister die budgetären Mittel fehlten. Die Staatsanwaltschaft ermittelt deswegen gegen ihn wegen Anstiftung zur Untreue. Die Öffentlichkeit, eingelullt vom Gerede des Willens zur Sauberkeit, der geradezu zum Versprechen eines »neuen Stils« hochgejazzt wurde, und geblendet von der Wirkkraft des Jungstars Kurz, ahnte von alldem nichts. Das Einzige, was zu ihr drang, waren zarte Klagen, das Außenministerium habe neuerdings keine anderen Aufgaben mehr, als sich um das Fortkommen des jungen Ressortchefs zu kümmern.

Der Sonnenschein wich auf der Terrasse in Göttweig stark aufkommendem Wind. Er blies die Sonnenschirme um, kündigte ein heftiges Gewitter an, zwang die Anwesenden zum Rückzug in die Innenräume und gab mir Gelegenheit zum Aufbruch. Und zu bedenken, dass der kommende Kanzler an diesem kurzen Nachmittag so gut wie alles aufgeboten hatte, was die neue internationale, antieuropäische Rechte zu bieten hatte.

Sechs Jahre später erinnerte ich mich an diese Szene, als der längst in Pension gegangene einstige Landeshauptmann Erwin Pröll, Protektor und Beschützer des jungen Sebastian Kurz, ein Buch von Helmut Brandstätter präsentierte, das die Rettung Österreichs vor der Krankheit des Kurzismus beschrieb. Brandstätter, nunmehr Parlamentsabgeordneter der NEOS, war Chefredakteur der im Besitz des Raiffeisenkonzerns und damit im Einflussbereich der ÖVP befindlichen Tageszeitung *Kurier* gewesen. Sebastian Kurz ließ Brandstätter demontieren und durch eine Zelotin ersetzen, weil dieser es gewagt hatte, sich seinen Interventionswünschen zu widersetzen. Der Aufschrei der österreichischen Öffentlichkeit blieb überhörbar.

Mittlerweile ist Sebastian Kurz gefallen. Seine zehn Jahre in der Politik sind vorüber, und mir, der sie ganz am Rand begleiten durfte, ist nicht nur gegeben, sie zu bilanzieren. Ich muss mich ermahnen, dabei nicht Ressentiment sprechen zu lassen und trotzdem meine Kritik nicht zu entschärfen. Die Fakten auf den Tisch: Im Sinne des Freund-Feind-Denkens wurde der von mir herausgegebene *Falter* vom Kabinett Kurz als »Feindmedium« qualifiziert und von Regierungsinseraten so gut wie ausgeschlossen. Man zahlte als Kurz-Gegner ebenso einen Preis, wie man als Kurz-Freund profitierte, nicht nur stimmungsmäßig, nein, monetär.

Der politischen Biografie des Sebastian Kurz aus der Nähe zu folgen, war auch lehrreich, weil er Verschiedenes nach Österreich brachte, das hier neu war. Trotz der unglücklichen Affinität der Österreichischen Volkspartei zum US-amerikanischen Stil hatte diese Partei vor Kurz nie einen glaubhaften Kurzschluss zwischen dem beim Welthegemon üblichen Politikstil und ihrer eigenen Politikdarstellung geschafft. Zwar besuchten ihre Abgesandten staunend die Arenen der amerikanischen Auseinandersetzungen, Parteitage und Wahlkundgebungen, aber die hiesigen »Herren und Formen«, wie es in Qualtingers/Merzens »Der Herr Karl« heißt, blieben zu sehr im Sozialstaat, zu sehr im Verbändestaat, zu sehr in der Sozialpartnerschaft verankert (man scheut sich selbst bei diesem unverfänglichen Thema, »verhaftet« zu schreiben).

Alle Versuche, Stilelemente zu importieren, blieben äußerlich, wirkten aufgesetzt, wenn sie nicht ins Tragisch-Lächerliche lappten wie bei jenem ÖVP-Kanzlerkandidaten Alois Mock, der im Privatstudio geschminkt wurde, weil man dem öffentlich-rechtlichen Sender misstraute. Das führte zu einer maskenhaften, ja totenstarren Erscheinung des braven Mock, der die Wahl naturgemäß verlor. Anderen Kandidaten stand ihr Intellekt im Weg, etwa den urbanen Katholiken Erhard Busek und Wolfgang Schüssel. Dieser war, durch die Implosion der Haider-Partei zum Trugschluss verführt, er habe einen Wahlsieg seines Charismas wegen errungen, prompt wieder abgewählt worden. Er versuchte vergeblich, die Nachfolge an den aus der FPÖ stammenden Karl-Heinz Grasser zu übertragen, dessen Karriere ähnlich strahlend begann wie jene von Kurz, aber in einem zehnjährigen Prozess endete, der zu einer erstinstanzlichen Verurteilung zu acht Jahren Haft wegen Untreue zum Nachteil der Republik führte.

Es war immer das Gleiche. Einmal war das Charisma mit Bruno Kreisky, später noch mit Franz Vranitzky auf Seiten der Linken, dann mit Jörg Haider und später mit Heinz-Christian Strache samt Untertönen der Angst auf Seiten der Rechten. Nur der konservativen Mitte, der ÖVP, blieb es vorenthalten.

Jetzt aber endlich hatte das christlichsoziale Lager einen Wunderknaben, einen Charisma-Träger, der in Umfragen die Rechten und die Linken in die Schranken wies, ein politisches Tier, zugleich ansehnlich, sanft sprechend und hinter der freundlichen Fassade zu allem entschlossen. Vor allem dazu, mit den unglücklichen Traditionen seiner Partei zu brechen. Damit ist nicht der Austrofaschismus gemeint, sondern die bündische Struktur und die Dominanz der Bundesländer, unter denen der jeweilige Obmann litt. Kurz hatte den Kairos erfasst, dass er mit seinem fabrizierten Charisma, mit seinem überpolierten Schein von Popularität die Partei unter Druck setzen konnte. Er bekam, um es zu formulieren wie ein berühmter später bekannt gewordener Chat, »eh alles, was er wollte«. Das sind seine Worte, die er als Kanzler seinem Mann fürs finanzielle Grobe zuschickte, Thomas Schmid, dem Generalsekretär im Finanzministerium, der sich selbst die Ausschreibung für den Posten des ÖBAG-Vorsitzenden schnitzen durfte und diesen Posten, also »eh alles, was er wollte«, auch bekam.

Kurz aber bekam Personalhoheit, er konnte seine Leute unabhängig von den Wünschen der Bünde und Länder nominieren, er konnte die Partei nach sich umbenennen, er war der unumschränkte Parteiführer. Zähneknirschend, aber nach außen hin strahlend fügten sich die sogenannten Granden; sie waren sich gewiss, alles im Griff zu haben und die Partei zu retten, indem sie sie scheinbar Kurz überließen.

Kurz war derweil auf einer Tour durch Österreich. In privaten Runden vom Bodensee bis an die Ostgrenze bemühte er sich um Image, schloss informelle Pakte mit Medienmächtigen, präsentierte sich in privaten Runden mit »der Wirtschaft«. Es ging um Spenden und darum, sich in Migrationsfragen besonders besorgten Industriellen als wirtschaftsfreundlicher Aufhalter der »Migrationsströme«, als »Schließer der Balkanroute« darzustellen. Kurz verstand nichts von Wirtschaft. Dennoch vermochte er den Glauben an sich als konservativen Hoffnungsträger auch hier zu erwecken. Dass die mächtigen informellen Milieus der Wirtschaft und die regional mächtigen Medienfamilien an ihn glaubten (das heißt an das, was er ihnen vermutlich zusicherte), war zur Finanzierung der Kampagnen und zur Kontrolle der Öffentlichkeit unerlässlich. Was Kurz ihnen anbieten konnte, lässt sich aufgrund der in den Chats bekanntgewordenen Tatsachen ahnen: Reduzierung staatlichen Einflusses, Demontage des Sozialstaats inklusive des öffentlich-rechtlichen Rundfunks, Abschaffung des steuerlichen Gleichbehandlungsprinzips für wichtige Wirtschaftstreibende, steigende Geldflüsse an sie.

Vieles konnte man davon wissen, ehe Kurz 2017 das erste Mal eine Nationalratswahl gewann und Bundeskanzler wurde. Nicht jeder hatte allerdings das Privileg, den Fälschercharakter seiner Politshow in der ersten Reihe zu genießen und mitunter am eigenen Leib auszuprobieren. Das *sacrificium intellectus* zahlreicher innenpolitischer Journalistinnen und Journalisten, aber auch von Teilen der europäischen, vor allem deutschen

Öffentlichkeit nach dem Wahlsieg von Kurz schien jedoch über das übliche Maß geforderter Loyalität hinauszugehen.

Als Kurz seine Koalition mit der FPÖ schloss, brachte der *Falter* sein Porträt auf dem Cover und setzte die Bezeichnung »Neofeschist« dazu. Die Empörung überbordete. Vor allem nahmen die Empörten, vom Herausgeber des *profil* bis zur Chefredakteurin des *Kurier*, nicht zur Kenntnis, dass der Begriff »Feschismus«, von mir einst auf Jörg Haider gemünzt, hier zum Neofeschismus mutiert war und eben nicht nur einen Vorwurf, sondern auch eine Differenz ausdrückte. Wohl aber beabsichtigte er Anklänge an autoritäre Regimes wie jenes von Viktor Orbán oder an das Gebaren von Donald Trump, die bereits für jene deutlich sichtbar waren, die sich nicht vom Geschick und vom, wie man heute weiß, fabrizierten, aber zweifellos vorhandenen jugendlichen Charisma des Sebastian Kurz betören ließen.

In meinem Kommentar zu diesem Titelblatt bezog ich mich auf das erwähnte Buch »Puer robustus« des Philosophen Dieter Thomä. Dieser zeichnet darin die Ideengeschichte des Störenfrieds nach, ausgehend vom Philosophen Thomas Hobbes, der diesen Begriff prägte, bis zu Donald Trump. Nach meinen Erfahrungen und dem Wahlkampf von Kurz sah ich ihn als eine Art *puer robustus politus* an, als einen Rüpel mit Manieren, einen Boss, der kein Raubein ist, sondern sich als idealer Schwiegersohn zu präsentieren weiß, während nach innen die Rangordnung klar bleibt. Alles geschieht für den Boss, im Interesse des Bosses, im Auftrag des Bosses. Thomä bringt den Begriff der Gangsterpolitik ins Spiel, den der US-amerikanische Politologe Stephen Eric Bronner in seinem Essay »Gangsterpolitik« auf Trump anwendet. Damit sei nicht gemeint, dass verurteilte Subjekte am Werk sind. Bronner versteht Gangsterpolitik nicht als »strukturierte institutionelle Formation [...], sondern eher als halblegale Anpassung an legale Formen des Regierens«.

Das trifft die Sache recht gut. Kurz und seine Gang, der innere Kreis, die Familie, versprachen, »die kapitalistische Gesellschaft vor Klassenwidersprüchen, die zu scharf geworden sind«, oder »vor Forderungen von unten, die zu lästig geworden sind«, zu schützen – also vor lästiger Kapitalismuskritik (vor allem von links) und lästigen Schutzansprüchen gegen Migration (vor allem von rechts) –, und bedienten sich dazu der Form einer Bundesregierung.

»Gangsterpolitiker wissen, wie sie das System ›austricksen‹ können.« Wie sie den Staat in den Griff bekommen, zeigten Kurz und die Seinen. Mit einem straff organisierten, straffe Kontrolle über die Ministerien ausübenden Küchenkabinett, mit einer nach innen und außen strengen, Message-Control genannten Medienpolitik, die zugleich die Taschen der kooperierenden Medienfamilien füllte. »Die Kontrolle des rechten Flügels über die zunehmend zentralisierten Medien trägt dazu bei, Kritik zu entkräften und die entrechteten und ausgebeuteten Menschen zu spalten. Das Publikum ist vorbereitet. Die Massenbasis des Chefs verabscheut seine Kritiker.«

Nicht, dass Mister Bronner dabei an mich und meine Freunde vom *Falter* gedacht hätte, aber da wurde und wird schon allerhand an Ressentiment gegen uns und andere als »Feindmedium« identifizierte Medien, etwa den *Standard* oder Teile des ORF, mobilisiert. Am besten daran gefällt mir, dass diese Mobilisierung unter dem Titel »Kampf gegen die linke Hegemonie« abläuft. Sämtliche Tageszeitungen sind entweder in konservativer Hand, boulevardkorrupt oder beides. Das Fernsehen wird auf privater Seite von konservativen Sympathisanten geführt und von multinationalem Kapital (ProSiebenSat.1 mit Berlusconi) beseelt. Der verstorbene Dietrich Mateschitz, Gründer des nach rechts offenen Senders Servus TV, war deklarierter Kurz-Sympathisant. Der öffentlich-rechtliche Rundfunk wird von türkis ernanntem Personal kontrolliert. Liebedienerei bei ORF-Chefredakteuren überrascht deshalb niemanden mehr. Weder dass einer von ihnen persönlich dem damaligen Bundeskanzler Schüssel einen Sessel für ein Wahlduell zum Probesitzen an den Ballhausplatz trug, noch dass ein anderer zurücktreten musste, weil seine Chats mit dem Vizekanzler Strache allzu peinliches Einverständnis zeigten, erstaunte jemanden. Die Sympathien der ORF-Journalistinnen und -Journalisten liegen oft anders. Bei der Besetzung von Diskussionsrunden oder bei Einladungen zu Interviews schließen sie sich aber in der Regel den Führungsetagen an. Dass ein paar wenige sich mit kritischer Stimme dagegen aussprechen, soll linke Hegemonie sein? Lächerlich!

Weit rechts gibt es noch andere Medien. Die FPÖ hat sich ein Netzwerk aus Websites und obskuren Medien aufgebaut; auch in der Regierungspolitik schaut seit Kurz die US-amerikanische Alt-Right zur Tür herein. Eine Online-Plattform namens *Exxpress*, hauptsächlich finanziert von Eva Hieblinger-Schütz, ehemals im Kabinett des ÖVP-Finanzministers Löger und Ehefrau des »Investor« genannten Finanzspekulanten Alexander Schütz (wegen Zusammenhang mit der Wirecard-Affäre aus dem Aufsichtsrat der Deutschen Bank gefeuert, er hatte den Wirecard-Chef Markus Braun dazu ermuntert, die den Skandal recherchierende *Financial Times* »umzubringen«), hetzt mit allen erlaubten und auch mit verbotenen Mitteln gegen den *Falter*, meinen Nachfolger Florian Klenk und auch gegen mich. Veröffentlicht Lügen, Falschbehauptungen, Unterstellungen. Rufmordet, verleumdet. Bringt Namen, Adressen, Fotos von Privathäusern. Offenbares Motiv: Kritiker von Kurz zu diskreditieren, der »Massenbasis« Abscheu beizubringen.

Alexander Schütz und Sebastian Kurz betreiben neuerdings gemeinsam eine Firma, die in Technologie, Gesundheit und Pflege investiert. Partner in der Pflege des Guten.

Es ist moralisch und politisch eher schlecht, das eigene Ansehen durch gefälschte Umfragen aufzupolieren, wie das nach Ansicht der Wirtschafts- und Korruptionsstaatsanwaltschaft (WKStA) Kurz und sein später zum Medienbeauftragten avancierter Pressesprecher Fleischmann im Zusammenspiel mit der Verlegerfamilie Fellner und der Meinungsforscherin Sabine Beinschab taten, um damit innerparteiliche Rivalen auszuschalten und die Öffentlichkeit anzuschmieren.

Es ist moralisch und politisch schlecht, absichtlich das gesetzlich beschränkte Budget für den Wahlkampf zu verdoppeln und damit die anderen wahlwerbenden Parteien zu betrügen. »Fake News« nannte der Generalsekretär der ÖVP die Aufdeckungen des *Falter*, die Partei klagte und verlor in der Hauptsache. Dieser Generalsekretär hieß Karl Nehammer und ist heute Nachfolger von Kurz als Bundeskanzler, verlor aber nicht nur Prozesse, sondern auch seine Erinnerung an diese Vorzeiten. Er habe zu Studien und Inseraten keine Wahrnehmung, sagte er dem parlamentarischen ÖVP-Korruptions-Untersuchungsausschuss. Er könne weder bestätigen noch ausschließen, dass er mit Fleischmann in der Vergangenheit über Umfragen gesprochen habe.

In einem ebenfalls vom *Falter* aufgedeckten Papier, »Operation Ballhausplatz«, war deutlich zu sehen, wie sich Kurz und die Seinen das Drehbuch vorstellten, um an die Macht zu gelangen. Es erfüllt alle Kriterien der Gangsterpolitik, nämlich der verschworenen Gemeinschaft, die an Stelle der Partei trat. Die Partei hieß auf dem Wahlzettel nicht mehr ÖVP, sondern »Die neue Volkspartei/Liste Sebastian Kurz«, auch in der

Wahlwerbung verschwand sie zusehends. Entschieden aber war die personelle Hoheit für Kurz, die dieser nutzte, um ihm loyale Gefolgsleute in Machtpositionen zu installieren. Aufgrund jahrelanger Vorbereitungen stammte ihr Kern aus der Jungen Volkspartei, deren Vorsitzender Kurz lange war. Seine Stellung stand bei ihnen nie in Frage. Sie wurden nun Ministerinnen und Minister, egal ob sie qualifiziert waren oder nicht, erhielten Posten in Kabinetten und als Berater. Als Qualifikation zählte ihre Loyalität, aber das verbarg man hinter einer Wand uniform repetierter Parolen.

Manche ihrer Diplome stellten sich als Fälschungen heraus, aber das war man gewohnt. Der nunmehrige EU-Kommissar Johannes Hahn entkräftete seinerzeit Plagiatsvorwürfe mit dem unwiderlegbaren Argument, seine Dissertation könne kein Plagiat sein, er habe sie ja mit der Hand geschrieben. Das war allerdings vor Kurz. Dessen Ministerinnen und Minister fielen nicht nur durch erschlichene Diplome auf wie die ehemalige Arbeitsministerin Christine Aschbacher, sondern durch flagrante Unfähigkeit wie die Digitalisierungsministerin Margarete Schramböck, die sich mit einem digitalen »Kaufhaus Österreich« blamierte, das viel kostete, aber nie funktionierte. Oder durch derart dilettantischen Legismus, dass sich die Mutmaßung aufdrängte, es handle sich um Absicht. Wie bei der ungarischen Schwesterpartei der Kurzisten, Viktor Orbáns Fidesz, die ebenfalls das Parlament durch absichtsvollen beschleunigten Dilettantismus ihrer Gesetzesentwürfe destabilisierte.

Kurz ließ den Verfassungsdienst aus dem Kanzleramt entfernen; jene Abteilung, die für juristische Kompetenz von Gesetzesentwürfen zuständig war und gewiss noch sozialdemokratisch geführt oder durchsetzt war. Eine symbolische Handlung, die sich in zahlreichen anderen Ministerien wiederholte.

Überall wurden sogenannte Generalsekretäre den Beamten vorgesetzt, um sie zu entmündigen und dem Staat ein quasi privatwirtschaftlich dominiertes Netz überzuwerfen, das aus dem Kanzleramt gesteuert und kontrolliert wurde. Aufgeblähte Beraterstäbe demotivierten die qualifizierten Beamten und verursachten hohe Kosten, was der Rechnungshof folgenlos bemängelte.

Der stolze und selbstbewusste Beamtenstaat Österreich sollte dequalifiziert und delegitimiert werden; die Leistungen der stets schleunig herbeigerufenen Consulter rechtfertigten das aber keineswegs. In manchem anderen vollendete die Regierung Kurz nur, was einige seiner Vorgänger bereits angelegt hatten. Er perfektionierte zum Beispiel die Medienkorruption seines Vorgängers, des Sozialdemokraten Werner Faymann. Und er trieb das Hauptprojekt seines Vorvorvorgängers Wolfgang Schüssel, der als Mentor von Kurz im Hintergrund wirkte, auf die Spitze: die Minimierung und Ausschaltung des demokratischen Wohlfahrtsstaats.

Sein Kabinett, der innere Kreis, nachmals durch die Chats als »Familie« bekannt geworden (»Du bist Familie«, beruhigte Finanzminister Gernot Blümel den um sein Fortkommen besorgten Thomas Schmid), brachte eine Mischung aus kreuzkatholisch und neoliberal zustande, etwas, das Österreich so noch nicht gesehen hatte. Kurz' Kabinettschef Bernhard Bonelli studierte an der Opus-Dei-Universität und arbeitete bei Boston Consulting. Antonella Mei-Pochtler war Mitglied der Führung der Boston Consulting Group und leitete die Stabstelle für Strategie, Analyse und Planung im Bundeskanzleramt. Fundamentalkatholizismus und Consulting, eine rätselhafte Paarung von Ideologien, die sich wie selbstverständlich löste, als bekannt wurde, wo Kurz nach dem Sturz seine Karriere fortzusetzen gedachte: bei Peter Thiel, dem amerikanischen Milliardär, Trump-Berater und konservativen Technik-Fetischisten. Auch bei Thiel mischen sich reaktionärer Glaube und reaktionäre politische Ziele; er ist ein Exponent der evangelikalen amerikanischen Alt-Right: Spezialfall nur insofern, als sein Guru, der Romanist René Girard, katholisch war. Aber das ist Kurz ja auch.

Eine manchen als peinliche Panne oder als unerklärlicher Ausrutscher erscheinende Szene begab sich in der Wiener Stadthalle. Vor zehntausend Menschen (wo kommen all die Leute her, fragten sich Naive wie ich) ließ sich Kurz auf der Bühne von einem australischen Prediger segnen. Dessen Worte, »Herr, wir danken dir so sehr für diesen Mann«, wurden in den Medien allgemein belächelt. Das Lächeln konnte einem vergehen, wenn man bedachte, welche Rolle die Evangelikalen im Kampf gegen die in ihren Augen durch sexuelle Freizügigkeit, Frauenbewegung, Recht auf Abtreibung verlotterte Gesellschaft spielten, die man einst westlich-liberal nannte. Der ebenfalls anwesende, überaus samtpfötige Kardinal Schönborn war einst als Befürworter der Idee des göttlichen Designs aufgefallen. Dass der notorisch opportunistische Nationalratspräsident einen Ort demokratischer Aufklärung wie das Parlament durch Abhalten von höchst privaten Gebetsstunden, wie soll man sagen, paradox entweihte, steckte einem ein Licht darüber auf, was hier vorging: Andachtsfeiern einer neuen internationalen Gegenaufklärungsbewegung.

Bei der Delegitimierung des Staates bildet naturgemäß der Sozialstaat das Hauptziel. Man muss als *disrupter* oder Störenfried darauf achten, nicht die Interessen der Unterschichten zu verletzen; das gelingt am besten, indem man unmittelbar Fühlbares wie eine Steuerreform mit Institutionenreformen kombiniert, deren Folgen nicht unmittelbar sichtbar werden. Führer des Gangsterkapitalismus »müssen sich oft zwischen

Autoritarismus mit Profiten und Demokratie mit Kosten entscheiden« (Bronner). Die Steuerreform brachte also nicht nur Senkungen von Unternehmenssteuern, sondern auch Erleichterungen für »kleine Leute«, die hartnäckig »Mittelstand« genannten unteren und mittleren Klassen der Gesellschaft. Dafür war die Reform der Krankenkasse ein reiner Schwindel. Eine versprochene »Patientenmilliarde« blieb eine Seifenblase, aber die Selbstverwaltung der Versicherten wurde anstandslos zugunsten erhöhter Mitspracherechte der Unternehmen abgeschafft. Statt Einsparnis gab es am Ende Mehrkosten von zweihundert Millionen Euro, wie der Rechnungshof feststellte.

Selbst wenn die reale Politik sich für »Demokratie mit Kosten« entschied, etwa im Fall von Migration, wurden zugleich beträchtliche symbolisch-autoritäre Profite eingestrichen. Der Migrationsforscher Gerald Knaus hat darauf hingewiesen, dass Österreich in den Kurz-Jahren mehr Menschen Schutz gewährte als jedes andere europäische Land; zugleich verhärtete die Rede vom Aufhalten und Abschirmen die öffentliche Mentalität, der rechtsextremen Propaganda wurden Wege geöffnet, und die Bereitschaft, autoritäre Führer zu akzeptieren, stieg.

Die Ironie der Geschichte wollte es, dass der *disrupter* Kurz von zwei großen und einer kleinen Krise selbst *disrupted* wurde. Es hätte alles munter weitergehen können. Die rechtsextreme FPÖ operierte ungeniert »am offenen Verfassungsherzen«, wie das ihr Innenminister Herbert Kickl einmal nannte, Pläne zur Zerstörung des öffentlich-rechtlichen ORF waren akkordiert, außenpolitisch näherte sich Österreich an Polen, Ungarn und Slowenien an, Kurz plante vielleicht Klettertouren mit dem rechten slowenischen Staatschef Janez Janša in den Julischen Alpen (nein, das war erst 2020), alles schien prima zu laufen. Bis am 17. Mai 2019 von *Spiegel* und *Süd-*

deutscher Zeitung (und in Österreich vom *Falter*) jenes Video veröffentlicht wurde, in dem der Vizekanzler und Führer der FPÖ, Heinz-Christian Strache, sich und seine Partei desavouierte. Anstandslos bot er auf Ibiza der Darstellerin einer russischen Oligarchennichte ein Land zum Ausverkauf an und lieferte in seiner Großsprecherei unwillkürlich eine rohe, aber zutreffende Analyse der politischen Machtverhältnisse: »Wer die *Krone* hat, regiert das Land« (bald darauf übernahm der Kurz-Freund, Spender und Begünstigte René Benko Mediaprint-Anteile von der deutschen Funke-Gruppe, seine Signa-Gruppe besitzt also je rund 24 Prozent an *Kronen Zeitung* und *Kurier*); »Novomatic zahlt alle« (der Glücksspielkonzern versuchte seit Jahren, die Gesetzgebung zu seinen Gunsten zu beeinflussen und spendete unter anderem an das von Nationalratspräsident Wolfgang Sobotka gegründete Alois-Mock-Institut).

Die Folgen von Ibiza halten an. Strafrechtlich war Strache kaum etwas vorzuwerfen. Die ÖVP versuchte, den öffentlichen Zorn auf die Hersteller des Videos zu richten, um von den darin sichtbar gewordenen Zuständen abzulenken. Zahlreiche Medien beteiligten sich gern daran, die Plattform *Exxpress* an der Spitze. Sie erreichten teilweise ihr Ziel. Der Detektiv Julian Hessenthaler, Regisseur der »Videofalle«, wurde in einem merkwürdigen Verfahren wegen eines Drogendelikts für Jahre hinter Gitter gebracht; »überführt« hatten ihn zweifelhafte Aussagen bezahlter Zeugen.

Kurz selbst kündigte die Koalition mit der FPÖ. Das Parlament verweigerte ihm aber den Verbleib im Amt und sprach ihm das Misstrauen aus. Ein Geschenk, denn nichts lieben Populisten mehr als die Chance, sich zum Opfer zu stilisieren. Eine Beamtenregierung wurde installiert, die jedoch auf Ebene der Kabinettschefs und Generalsekretäre einer Regierung

Kurz gleichkam, was weder das Parlament noch den Bundespräsidenten weiter zu stören schien. Der Kurzzeit-Innenminister (Dienstzeit: zwölf Tage) Eckart Ratz schilderte vor dem Untersuchungsausschuss, wie so etwas lief. Ein »eingeteilter Kabinettschef« habe ihn kontaktiert, dann von zu Hause abgeholt und schließlich das Kabinett für ihn zusammengestellt.

Kurz wurde bei der Nationalratswahl im September 2019 naturgemäß mit deutlicher Mehrheit wiedergewählt. Er hatte es erfolgreich verstanden, sich als Opfer jener Leute hinzustellen, mit denen er eine von ihm vielbesungene Koalition eingegangen war. Danach koalierte er zur allgemeinen Überraschung mit den Grünen. Später bereute er, die Koalition mit Strache gekündigt zu haben, nannte aber nicht den wahren Grund seiner Reue. Der zeigte sich, als die WKStA die Ermittlungen infolge der von Strache bramarbasierend vorgebrachten politischen Analyse der Republik aufnahm. Auch der Grund, den Kurz nannte, als er die Koalition kündigte, klingt wenig wahrhaftig. Ein Innenminister wie Herbert Kickl könne die Ermittlungen nicht führen, sagte Kurz und zwang damit die FPÖ in eine Loyalität zu Kickl. Dieser hatte mit Ibiza nichts am Hut, außer, dass er halbherzig seinen Parteigenossen Strache verteidigte, den er nicht zögerte zu beerben. Als die WKStA wenig später gegen Parteifreunde von Kurz ermittelte, fand dieser nichts dabei, dass sein Parteifreund als Innenminister diese Ermittlungen verantwortete.

Wäre es allein nach der Polizei gegangen, hätte sie zum Beispiel das Handy von Thomas Schmid nicht weiter beachtet. Ein Mitglied der ermittelnden »Sonderkommission Tape«, ÖVP-Mitglied, nach Straches Rücktritt durch ein Solidaritäts-SMS auffällig geworden (»Lieber HC, Wann kommt dein Rücktritt vom Rücktritt. Die Republik braucht dich. Alles Liebe«), schickte an die Staatsanwaltschaft den Aktenvermerk, es befänden sich »keine sachverhaltsrelevanten Darstellungen« auf dem Handy. Als es der Staatsanwaltschaft dennoch gelang, die Daten zu sichern, befanden sich auf diesem Handy Tausende Chats, die unter anderem zum Sturz von Sebastian Kurz führten. Der Polizist wurde befördert.

Man kann nicht behaupten, Kurz und den Seinen wäre verborgen geblieben, dass Parteifreundlichkeiten im Innenministerium die Ermittlungen behindern, ja den Rechtsstaat in Frage stellen, der auf der Fiktion von Überparteilichkeit und gleichen Rechten für alle beruht. Kurz nahm dieses Privileg für sich und andere in Anspruch, während er es der FPÖ nicht zugestand.

Das Innenministerium ist überhaupt ein österreichisches Wunder. Jeder Innenminister, jede Innenministerin weist, zum Beispiel in Untersuchungsausschüssen danach befragt, jegliche Intervention bei der Auswahl des Personals entrüstet zurück. Man verhalte sich gesetzeskonform, interessiere sich nicht für schnöde Personalbelange, höre sich nur die Wünsche der Bevölkerung an, diese habe ja stets viel auf dem Herzen. Wundersamerweise werden die entscheidenden Stellen nicht nur in diesem Ministerium mit ÖVP-Mitgliedern besetzt. Womöglich bloß vergessen Mitglieder anderer Parteien, sich zu bewerben?

Diese Problemlage verschärfte sich bald, als durch weitere Chats aufkam, dass Parteilichkeit auch in der Justiz bis an höchster Stelle Platz gegriffen hatte. Das ist vielleicht keine schockierend neue Erkenntnis, aber für eine Beamtenschaft, deren Integrität und Anstand die Voraussetzung für die Glaubwürdigkeit der Justiz bilden, keine gute Nachricht. Der leitende Beamte des Ministeriums, Sektionschef Christian Pilnacek, traf sich mit zwei hochrangigen ÖVP-Politikern, die in einem Verfahren beschuldigt waren; er erkundigte sich besorgt, wer den Finanzminister Gernot Blümel auf eine kommende Hausdurchsuchung vorbereite (»Wer vorbereitet Gernot?« wurde ebenfalls zum geflügelten Wort). Später schickte ihm sein Kollege, Oberstaatsanwalt Johann Fuchs, Informationen über ein Verfahren zu. Fuchs ist mittlerweile nicht rechtskräftig wegen Verletzung des Amtsgeheimnisses schuldig gesprochen, Pilnacek wurde zögerlich suspendiert.

Wie aus dem Nichts schien eine in Österreich neue Attacke von Sebastian Kurz gegen die Justiz zu kommen. Zu Jahresanfang 2019 begann er, die Wirtschafts- und Korruptionsstaatsanwaltschaft öffentlich und in Hintergrundgesprächen anzugreifen. Möglicherwiese war ihm zu diesem Zeitpunkt bewusst, dass diese Behörde mit der Beschlagnahme des Mobiltelefons von Thomas Schmid jenen Punkt gefunden hatte, von dem aus sie die binnenpolitische Karriere von Sebastian Kurz aus den Angeln heben würde. Schmid hatte zwar alle Daten gelöscht, nicht jedoch den Speicher in der Cloud, aus der sich nun in Gestalt der Chats die Katastrophe über Kurz und die türkisierte Volkspartei entlud.

Was waren die Chats? Eine Art öffentlich gewordenes Hinterzimmer, eine Art ausgeleuchteter Darkroom der Politik. Man nahm plötzlich teil am Intimen, am Klartext, der hinter den öffentlichen Floskelfassaden geredet wurde. Nackte Interessen, üble Charakterdefizite, zügellose Gier und unverhohlene Skrupellosigkeit wurden sichtbar und schlugen sich in Formulierungen nieder, die bald in den täglichen Sprachgebrauch und in die TV-Werbung (»Sebastian kann jetzt Geld scheißen«, warb ein Möbelhaus in Sprechblasenform) einflossen und die Fassade der Kurzisten zerstörten, egal was diese dagegen unternahmen. Ein Mensch, der einen Parteigenossen dazu ermuntert, einen Kirchenvertreter einzuschüchtern und mit Steuererhöhungen zu schockieren und ihn mit »Gib

Vollgas« anfeuert, einer, der seinem korrupten Freund verspricht, »kriegst eh alles, was du willst«, der hat sich als vollkommen anstandslos gezeigt. Die politische Karriere des Sebastian Kurz musste spätestens in diesem Augenblick beendet sein. Aber es dauerte.

Kurz' Freund Thomas Schmid bastelte derweil öffentliche Ausschreibungen für die ÖBAG, die Muttergesellschaft aller Beteiligungen der Republik, die auf ihn selbst zugeschnitten waren, stellte sich auch selbst den passenden Aufsichtsrat zusammen, dealte Steuerprivilegien für Superreiche aus und versah all das mit zynischen Sprüchen. Er finanzierte gefälschte Umfragen, in denen die Beliebtheit des Kanzlerprätendenten Kurz aufgebessert wurde, mit Steuergeldern und kommentierte deren Publikation in käuflichen Journalen mit »Wer zahlt, schafft an«. All das zählt mittlerweile zur österreichischen Folklore, ist aber auch die Dokumentation eines Debakels von etwas, das man einmal Anstand nannte.

Privat waren diese Chats übrigens keineswegs, höchstens eben intim, jedoch von höchstem öffentlichen Interesse. Sie sind auch mehr als ein digitales Hoppala. Sie sind die Rache der Dinge an einer Generation von Herrchen, die an die frechen und übermütigen Seidenfabrikanten- und Hausherrensöhnchen vom Wiener Brillantengrund im 19. Jahrhundert erinnern; statt mit Hunden das Volk zu terrorisieren, verwenden sie wohlabgerichtete Consulter; statt lässig am Florett zu fingern, wischen sie am Handy; statt stutzerhafte enge bunte Hosen tragen sie Konfirmantenanzüge; slimfit die einen wie die anderen, und Kosten für Coiffure werden nicht gescheut (Sebastian Kurz legte stattliche Beträge für etwas aus, das seine Gefolgschaft »Grooming« nennt). Die Dienerschaft erwies aber sich wie oft als verräterisch; die digitalen Geräte, unsere neuen Herren in Gestalt von Dienern, schlugen zurück.

Die Herrchen und die zugehörigen Dämchen, allesamt in Ämter gekommen, für die sie nicht geeignet waren, hielten zwar diszipliniert gegen den Plebs aller Arten zusammen und fanden in Sprachregelungen aneinander Halt; ihre eigene Kontrollkraft, gesteuert von einem Zentrum eingebildeter Sprüche- und Imagemacher, überschätzten sie am Ende bei weitem. Als ihre informelle Sprache bekannt wurde und ihre schlichten Worte allen Phrasenglanz zu Staub zerfallen ließen, war es mit ihnen vorbei. »Wir sind die Hure der Reichen.« Ward je eine sinnfälligere Kritik an der Politik eines frömmelnden Neoliberalismus formuliert?

Die zweite Chance der türkisen Herrchen schien in Form einer Krise daherzukommen. Corona. Die Seuche traf trotz Warnungen von Epidemiologen und von wohlmeinenden Milliardären wie Bill Gates die westlichen Staaten unvorbereitet. In Afrika, in Megacitys, in überhitzten fernen Gegenden wie Indien oder im Dschungel von Lateinamerika und wo sonst sich pauperisierte Massen aneinanderdrängen, ja, dort mochte es Seuchen geben. Aber bei uns? Sebastian Kurz kamen nun seine rechten Vernetzungen zugute. Einer seiner Patrone, der israelische Premier Benjamin Netanjahu, seinerseits von der avancierten israelischen epidemiologischen Wissenschaft informiert, warnte Kurz, er möge die Sache ernst nehmen. Schnell von Auffassung und mit feiner Witterung für die von Ibiza ausgehende Gefahr ausgestattet, handelte er nach dem Motto des amerikanischen Ökonomen Philip Mirowski: »Never let a good crisis go to waste.«

Kurz interpretierte die Chance von Corona so, dass er sich als autoritärer Führer präsentierte, der den Ernst der Lage erfasste. Nach typisch österreichischem Beginn, als eine Tiroler Herrenblase aus Seilbahn- und Hotelbesitzern ihren Anteil an der europaweiten Verbreitung des Virus aus dem Skiort Ischgl vergeblich versucht hatte herunterzuspielen – die *New York Times* machte ihn als »Ish-gul« berühmt, was ein wenig nach einem Vorposten Mordors klang –, hatte Kurz' Auftreten anfangs Erfolg und trug ihm bei seinen deutschen Adoranten vom Springer Verlag den Titel »Corona-Kanzler« ein. Was man zuerst noch als legitimes Ausspielen der Kanzlerrolle in einer prekären Lage begreifen konnte, verkam bald zur frivolen Angstmacherei mit billigen Parolen wie »Bald wird jeder jemand kennen, der an Corona gestorben ist«.

Im Vordergrund versuchte Kurz mit seiner Rolle als erneuerter Katechon (Viren statt Migranten) seine Popularität zu steigern. Im Hintergrund tat seine Regierung alles, um die Bemühungen des Sozial- und Gesundheitsministers Rudolf Anschober zu sabotieren, der praktischerweise von den Grünen kam und ein Ministerium zu leiten hatte, das durch die Bemühungen des Kabinetts Kurz-Strache einigermaßen zerstört war. Die für Immunologie und Impfstrategie zuständige Sektion war einst von Pamela Rendi-Wagner geleitet worden, die mittlerweile Chefin der oppositionellen Sozialdemokraten war. Die türkis-blaue Koalition hatte die Sektion ersatzlos abgeschafft. Nun, da sie gebraucht wurde, zeigten sich die Folgen: Inkompetenz bei Strategie, Impfstoffbeschaffung, Kommunikation.

Kurz und seine Message-Kontrollore ließen sich von den Chancen der neuen Situation verführen. Statt eine wissenschaftliche Instanz zu schaffen, die öffentlich über den Stand der Dinge informierte, wie es etwa das deutsche Robert Koch-Institut tat, lieferten sie inflationäre Auftritte, die zwar ins Lächerliche lappten, bei denen sich Kurz aber als ein Mittelding aus Corona-Conferencier und Corona-Diktator präsentierte.

Zuerst schien das erfolgreich. In Umfragen näherte sich die

ÖVP sogar der absoluten Mehrheit, dann aber überspannte die Kurz-Truppe den Bogen. Selbst in den dramatischsten Phasen der Pandemie rückte sie nicht von ihrem Freund-Feind-Schema ab und versuchte, das erfolgreichere Testregime des sozialdemokratischen Wien zu konterkarieren, das günstigere Gurgeltests eingeführt hatte. Ineffizienz und höhere Kosten waren die Folge. Besonders unanständig war die Entscheidung, in der Situation einer dramatischen Pandemie die politischen Interessen einer Gruppierung über das Gemeinwohl zu stellen. Das wurde bei den Landtagswahlen in Wien und Oberösterreich besonders deutlich. Während es in Wien bei Schikanen wie Parkschließungen während des Lockdowns und bei Sticheleien blieb, hatte in Oberösterreich das absichtliche Ignorieren des Coronathemas, um Impfgegner und Rechtsextreme nicht zu stärken, im Wortsinn fatale Folgen.

Je länger die Pandemie dauerte, desto mehr gingen die Versuche der Kurzisten schief, Kapital aus ihr zu schlagen. Weder die Ankündigungen von »Sommern wie früher« noch jene vom »Licht am Ende des Tunnels« bewahrheiteten sich. Die Kurz-Vertraute Landwirtschaftsministerin Elisabeth Köstinger repetierte mechanisch, die Rettung der Wintersaison sei das Wichtigste; wer gemeint hätte, das wäre die Rettung der Menschen, hatte die Eigentümer der Tiroler Seilbahnen unterschätzt, deren Exponenten in Medienauftritten durch störrische Egozentrik glänzten. Kurz selbst versuchte zuerst, russischen Sputnik-Impfstoff zu bestellen. Als Sputnik keine EU-Zulassung erhielt, gab er an, mit der Impfstoffbestellung habe er nichts zu tun. Als Gesundheitsminister Rudolf Anschober wegen Überlastung eine kurze Auszeit nahm, nutzte Kurz die Gelegenheit, ihm in den Rücken zu fallen und in einer Pressekonferenz dessen Spitzenbeamten zu desavouieren. Die Wirtschaftshilfe funktionierte unbürokratisch; so unbürokratisch, dass vorhersehbarerweise die zuständige Behörde nun Gegenstand rechtlicher Ermittlungen ist. Eingerichtet vom Finanzministerium, stand sie unter der Leitung eines Herrchens, das sich selbst gleich einen doppelten Gehaltsscheck genehmigte. Die dafür gegründete Agentur COFAG war so konstruiert, dass sie parlamentarischer Kontrolle entzogen war. Statt beamtliches Know-how in Anspruch zu nehmen, gab sie 36 Millionen Euro für externe Beratung aus, nahm undurchsichtige Überförderungen in mindestens dreistelliger Millionenhöhe, vermutlich aber weit höher vor und wurde für all das im Nachhinein erwartungsgemäß vom Rechnungshof in Grund und Boden kritisiert. Ahnen konnte das im Vorhinein, wer es wollte. Wieder galt eine Maxime der Gangsterpolitik: »Für Kabinettsmitglieder und Behördenleiter sind keine Fachkenntnisse oder Sicherheitsüberprüfungen erforderlich, alles, was zählt, ist die Loyalität gegenüber dem Chef.« (Bronner)

Die Kurz-Jahre gingen zu Ende, als sich die Botschaften der Chats nicht mehr wegwischen ließen. Zwar erhielt der Parteiobmann noch die Unterstützung der Landeshauptleute, als die WKStA wegen einer falschen Zeugenaussage vor dem parlamentarischen Untersuchungsausschuss gegen ihn ermittelte. Er hatte behauptet, von den Vorgängen um die Bestellung von Thomas Schmid zum Chef der ÖBAG, der Beteiligungsgesellschaft des Bundes, zwar gewusst, aber an ihnen nicht mitgewirkt zu haben. Eine zumindest kontraintuitive Aussage, handelt es sich doch bei Schmid um ein Mitglied der Familie, das bekam, was es wollte. Die ÖBAG mit ihren Firmen ist, sowohl was Finanzströme als auch was Posten betrifft, ein zentraler Gegenstand politischen Interesses. Dass ein Tüftler wie Kurz von den Umständen der Bestellung ihres Chefs keine Ahnung hatte, schien nicht nur der WKStA zumindest ermittlungswürdig.

Nach Bekanntwerden der Chats, nach der Inseraten- und Umfragen-Affäre wurde der Druck zu stark. Kurz musste zurücktreten – und nutzte die Gelegenheit für eine letzte Blendshow. Er gehe, weil er sich jetzt um seinen kleinen Sohn und seine Familie kümmern wolle, sagte er in seiner Abschiedsrede und verschwand.

Als er da am 1. Dezember 2021 in der ÖVP-Parteiakademie vor den Fernsehkameras stand, perfekt gekämmt, die Miene mediengerecht wie eh und je, da fielen den Medienreptilien auf einmal die Schuppen von den Augen, und sie erkannten, was dieser Kurz über das Land gebracht hatte! Er hievte unfähiges Personal, dessen einziges Kriterium die Loyalität zu ihm war, in höchste Positionen. Er zeigte seine Verachtung für demokratische Ämter, indem er sie als Rangierbahnhof für seine Ambitionen behandelte. Das Bundeskanzleramt besetzte er mit einem schwachen Platzhalter, Außenminister Alexander Schallenberg. Elisabeth Köstinger parkte er kurz als Präsidentin im Nationalrat, ehe er mit der Auswahl Wolfgang Sobotkas für diesen Posten seine ultimative Verachtung für dieses Haus ausdrückte.

Die Zerstörung der öffentlichen Rede, das stolze Agieren sogenannter verantwortlicher Personen als Sprechautomaten im Dienste ihres Herrn, dieser Kinder-Machiavellismus, der sich in Herrchen-Posen wie breitbeinigem Dastehen und kreuzhohlem Sitzen äußerte, mit geschulten Gesten und im Niederreden mit Auswendiggelerntem glänzte, das alles war mit dem Abgang von Kurz ja nicht vorbei. Es wurde jetzt nur unbeholfener ausgeführt. Aber es wirkte und wirkt in einer und auf eine Gesellschaft.

Wird die Zeit die juristischen Kratzer heilen lassen, fragt sich die Öffentlichkeit, unbekümmert um die tiefen moralischen und politischen Wunden, die Kurz sich, ihr und uns beigebracht hat? Man könnte einwenden, die österreichische Öffentlichkeit leide nicht an moralischen Wunden, sie sei eine. Das stimmt gewiss, aber mich interessiert die Form und Gestalt dieser Wunde. Eitert sie, vernarbt sie, kann sie heilen? Was haben die Kurz-Jahre mit ihr getan? Wirken die Taten über den engeren Bereich der Wunde hinaus, oder stehen sie in einem größeren Zusammenhang? Dies sei gefragt, ohne das Bild vom Österreich, in dem die große Welt ihre Probe hält, oder auch jenes von der Versuchsstation des Weltuntergangs überzustrapazieren; so wichtig ist es auch wieder nicht.

3. DIE HOCHRANGIG ZUGESCHISSENE REPUBLIK: SOBOTKA

Es gibt österreichische Charaktere, die das Schlimmste in mir hervorrufen. Dieser gehört dazu. Es wäre gelogen, würde ich verheimlichen, welchen Widerwillen ich aufbieten musste, um dieses Porträt von Wolfgang Sobotka zu skizzieren, dem Präsidenten des österreichischen Parlaments.

Ich bekenne: Ich halte ihn für die überflüssigste Figur des österreichischen Politwesens, unter unwürdigen Umständen auf einen Posten gehievt, auf den er nicht gehört und den er täglich desavouiert. Keinen Tag länger sollte er dort bleiben. Jedoch bekenne ich weiters, als Publizist brauche ich ihn. Sobotka ist unerträglich, Sobotka ist unerlässlich.

An Sobotka kommt man nicht vorbei. Dass einer wie er auf einem Posten wie dem seinen möglich ist, zeigt, wohin es Österreich gebracht hat. Deshalb widme ich ihm viel Aufmerksamkeit, nicht über Gebühr, wie es heißt; ihm gebührt, solange es ihn im Amt gibt, nie genug, und erst danach, wenn die Luft rein ist oder noch dünner wurde, wird man die Bedeutung voll erfassen, dass einer wie er so lange in solchen Ämtern gewesen sein konnte.

Es ist hier im Kleinen wie bei Sebastian Kurz und bei Jörg Haider: Als Staatsbürger will man solche Leute los sein, deshalb kritisiert man sie publizistisch, so gut man kann. Zugleich lebt man als Publizist von ihnen. Im Großen zeigt es uns Donald Trump: Jene Medien, die ihn am meisten hassen, finanzieren seine Schmähkampagnen durch Gratispublicity im Wert von Hunderten Millionen Dollar. Auf ihre Art führen einem diese Figuren die Zwiespältigkeit der eigenen Existenz als Medienmensch vor. Ich will nicht so weit gehen zu bekennen, ich sei Sobotka, aber ich bin ein Teil des Problems Sobotka.

Zwiespältig also fühle ich mich, wenn ich diesen Mann auf Twitter mehr als tausendmal mit einem zweizeiligen, gereimten Vers zum Rücktritt aufgefordert habe. Mit Versen, die eine ganze Armada von Mitreimenden auf den Plan riefen (gut, die Flotte umfasst etwa ein Dutzend Menschen), eine Art lyrischen Begleitgeschwaders, das auf jeden meiner pünktlich um sechs Uhr veröffentlichten Morgenverse seinerseits mit Versen antwortet: ein Reimchor, der scheinbar nur den einen Zweck hat, den Mann zum Abtreten zu bewegen. Sollte ich nicht vielmehr jeden Morgen Gott danken, so einen Quotenbringer vor mir zu haben, und ihn – Gott – bitten, mir jenen – Sobotka – möglichst lange zu erhalten?

Warum ihm überhaupt ein ganzes Kapitel dieses Buches widmen? Weil er auf seine kuriose, ja perverse Weise die eine Seite jenes simulativen Verhängnisses darstellt, das uns in Gestalt des versagenden Konservativismus, des versagenden konservativen Anstands heimsucht. Bekannt ist meine Sehnsucht nach einem idealen Bürgertum, das wenigstens andeutungsweise die Ideale der Französischen Revolution in unsere Zeit rettet, und mir ist an dieser Sehnsucht selbst bekannt, dass sie einer Fiktion nachjagt. Wie alle Fiktionen wäre diese immerhin geeignet, die Realität zu verbessern, würde man ihr bürgerlicherseits auch nur ein wenig nacheifern.

Nun wird die Welt gerade durch Idole vergiftet, die solche Fiktionen zu verkörpern scheinen. Ein doppelter Schein, denn diese Idole verstehen es, echten Schein – Vorschein hätte ihn der Philosoph Ernst Bloch genannt – in ihren falschen, giftigen, einlullenden und ihre wahren Absichten verbergenden

Schein mit einzubeziehen. Vielleicht verbergen sie diese wahren Absichten zuzeiten vor sich selbst. Sebastian Kurz habe ich als Inbild dieses fabrizierten Scheins beschrieben.

Kurz schien attraktiv, weil er den Wechsel zu versprechen schien, eine neue Generation, eine neue Tüchtigkeit, eine neue Art, mit Institutionen umzuspringen; freie Bahn dem Tüchtigen, ein edles Exemplar neuen Rittertums, rein, gläubig und im verbalen Schaukampf unbesiegbar.

Wolfgang Sobotka stellt das Gegenbild dar. Den Weggefährten des Sebastian Kurz, aber den ganz anders geratenen: den Kämpen, den Knappen, der dem edlen Ritter den Weg freihaut und verwundet auf dem Schlachtfeld zurückbleibt, wenn jener längst auf seinem Pferdchen elegant zu neuen Taten davongesprengt ist. Der Knappe scheitert exemplarisch in allen Aspirationen seines Herrn, ständig zerplatzen seine tollpatschigen Versuche, schönen Schein herzustellen. Es werden keine schillernden Seifenblasen aus seinen Auftritten, seine manische Reisetätigkeit macht keinen Kosmopoliten aus ihm, seine quälend vielen Reden zeigen keinen Rhetor, seine Interviews und die »hochrangigen Austausche«, die der Kämpe in einem Stakkato von Presseaussendungen verlautbart, missraten zu einer Kette von Peinlichkeiten.

Man meint, einem zuzuschauen, der sich als Magier vorkommt. Aber die Zaubertricks misslingen. Das Kaninchen bleibt im Zylinder stecken, die Jonglierbälle fallen zu Boden, bei der Levitation hebt niemand ab. Der einzige Trick, der ihm gelingt, ist, dass er trotzdem grinsend weitermacht. Er ist ein Artist des Bestemms, ein Athlet des Weiter-so, ein Herkules des Jetzt-erst-recht. Er ist im wahrsten Sinn alte Schule. Mit Intrige, Liebedienerei, Schleimertum und Anpassung erhielt er von Sebastian Kurz ein Lehen, zum Andenken, dass er mit alten Mitteln schaffte, was jenem mit scheinbar neuen gelang.

Und nun ist er eine große Nummer. Nationalratspräsident. Wolfgang Sobotkas Erfolg besteht darin, dass er es trotzdem geworden ist. Was immer er war – Landesrat, Innenminister, Nationalratspräsident –, er wurde es nicht wegen, sondern trotz Sobotka (aber wegen Parteibuch, Meucheldienst und Scharfmacherei). Trotz ständigen Versagens harrt er im Amt aus, trotz öffentlichem Missbehagen (Umfragen zeigen ihn noch hinter dem rechtsextremen Herbert Kickl, seinem Nachfolger als Innenminister, als den am wenigsten beliebten österreichischen Politiker) ist er einfach nicht wegzukriegen, obwohl sich bei seinem Anblick schockartig das Gefühl meldet, es kann doch nicht sein, dieser Kerl an diesem Ort, in dieser Funktion, das ist einfach unanständig. Andererseits, Figuren, die solche Schocks auslösen, gibt es vermutlich in jedem Land. Die Gefühle eines großen Teils der Bevölkerung werden die gleichen sein, je nachdem, welcher Hälfte sie zuneigen, werden die einen vielleicht bei Nancy Pelosi oder Olaf Scholz, die anderen bei Mitch McConnell oder Friedrich Merz solches denken. Eine erstaunlich große Zahl von Menschen wird gar nichts davon empfinden und im Wegzappen allenfalls kurz denken: eh ein ganz anständiger Kerl.

Andere, zu denen ich mich zähle, empfinden bereits seinen Anblick in einem dieser Ämter, im dritthöchsten Amt des Landes zumal, als Anstandsverletzung, als sittenwidrig, als empörend. Von seinem politischen Verhalten ganz zu schweigen. Sobotka ist eine ärgerliche Erbschaft der Kurz-Jahre.

Aus diesem Grund muss sein Porträt gezeichnet werden: weil er die Macht hat, fortwährend etwas zu tun, was allseits als lächerlich, unangemessen, peinlich und unzumutbar durchschaut wird. Weil er Fehler macht, die andere den Posten kosten würden. Und weil er es immer weiter tut. Gerade wegen seiner Beharrungsfähigkeit scheint es, als breche Wolfang

Sobotka die Gesetze der politischen Schwerkraft. Deswegen trägt er dazu bei, das politischen Gesetz der Demokratie insgesamt zu brechen, und bahnt auf seine altmodische Knappenart den Weg für jenes Neue, das sich anfühlen möchte wie die Rettung des Rittertums, aber nichts anderes im Sinn hat, als eine autoritäre Ordnung, eine Ordnung der Kämpen, Knappen und Büttel, herzustellen.

War Kurz der vermeintlich manierliche Ritter des fabrizierten Scheins, braucht es für den Kämpen des falschen Scheins einen anderen Begriff: *Bullshit*. Er stammt vom amerikanischen Philosophen Harry Frankfurt, wird gemeinhin mit Unsinn oder Blödsinn übersetzt und bedeutet wörtlich Stierscheiße, daher auch die Überschrift des Kapitels. »Bullshit ist ebenso wie die Lüge unaufrichtig, lässt sich aber womöglich eher dadurch charakterisieren, unecht statt unwahr zu sein. Er ist unecht, weil der Absender vorgibt, sich an einer Aktivität zu beteiligen, in der es eine Rolle spielt, ob etwas wahr oder unwahr ist, er selbst aber darauf pfeift«, schreibt der Philosoph Lars Svendsen im seinem Buch »Philosophie der Lüge«. Kurz hat uns beschissen. Sobotka scheißt uns zu.

Wir werden täglich von politischen, medialen, werblichen *Bullshittern* zugeschissen, die Berge häufen sich, man nimmt den Gestank nicht mehr wahr, weil man sich daran gewöhnt hat wie die Menschen der frühen Neuzeit in den Städten an den Kot auf den Straßen. Der politische Stall ist voll davon. Wie soll man ihn ausmisten, wenn man kein Herkules ist?

Wie soll man dieser absurden Haufen Herr werden? Wie soll man sie verstehen? Versuche ich es, ergreift mich ein Schwindel. Gleich denke ich an Unfälle, die in amerikanischen Schlachthöfen vorkommen. Menschen fallen wegen einer Überdosis Methangas in Ohnmacht und ertrinken buchstäblich in riesigen Lacken von Exkrementen. Ich beiße die Zähne zusammen. Berührungsängste und olfaktorische Herausforderungen bekämpfe ich tapfer, aber ich suche nach dem rettenden Begriff, nach philosophischem Riechsalz. Da endlich kommt Hilfe aus Cambridge, Massachusetts. Es ist ein Satz des amerikanischen Philosophen G.A. Cohen. Er sagt über Bullshit, dessen Kern sei weniger in der Absicht des Redners zu finden, sondern vielmehr darin, dass das Gesagte aus »unklarmachender Klarheit« besteht.

Unklarmachende Klarheit: Hier haben wir Sobotka in nuce. Nehmen wir einen einzigen TV-Auftritt. Er spielt den Nationalratspräsidenten, das heißt, er hat vor, uns mit der Würde seines Amtes zuzubullshitten (oder heißt es zubullzushitten?) und versucht deshalb, besonders amtsträgerisch zu sprechen. In der ORF-Pressestunde vom 19. April 2020 sagte er über Corona: »Ich trage immer Maske, auch im Wirtshaus. Wir haben es besser gemacht als die USA und Italien. Wir dürfen uns aber noch nicht so frei bewegen wie vor Corona. In der Schule wird alles getan, um Kinder zu unterrichten und zu unterstützen. Hoffen wir, dass sich die Lage bald bessert.«

Das sagte er aber nicht, sondern er bullshittete folgendermaßen: »Natürlich habe ich die Maske mit. Ohne der [sic!] geht es gar nicht. Die ist mein ständiger Begleiter in der Vergangenheit geworden. [...] Ich war gestern am Abend bei einer Wirtin bei uns Unter der Linde und die hat auch mit der Maske mir das Menü für den Abend übergeben, Abstand gehalten, Masken und trotzdem ein bisschen Humor. [...] Wenn wir an die Bilder denken in Amerika, in Italien, dann sind wir uns – Gott sei Dank – erspart geblieben. Daher glaube ich, war dieser Weg ein richtiger. [...] Es war offensichtlich das Bemühen, dass das Bewegungsprofil der Österreicher nicht sofort wieder in die Situation kommt, alles und überall alles möglich zu machen, das Stück für Stück zu lockern. [...] Auch wir haben ein Kind zuhause, das zehn Jahre ist, und muss ein großes Kompliment unserer Schule machen, die mit ungeheurem Engagement eigentlich versuchen, die Kinder auch weiterhin zu unterrichten beziehungsweise die Unterstützung zu geben, und das nicht nur in den Hauptgegenständen, sondern auch in vielen anderen Nebenfächern. [...] Und so hoffen wir gemeinsam, dass es dann wieder leichter wird und dass wir noch vor Sommer die Kindergärten und auch die Schulen besuchen können.«

Kauderwelsch, das einem da so selbstbegeistert übergeben wird, dass man sich übergeben möchte, an der Grenze zum Hirnstillstand. Wir bleiben uns doch nicht erspart. Ich nenne diese ohnmächtig machende Sprache, diesen Methandialekt Sobotkinesisch. Ehe ich mich in mehr davon vertiefe (kann man sich ins Flache vertiefen?), wiederhole ich meine Frage, was uns dieser Mann verspricht. Er verspricht sich, in einem fort. Ein Versprecher, kein Versprechen.

Bei seiner Vita kann man sich kurz halten. Als klassischer Musiker (Cello, Dirigieren) und Historiker ausgebildet, wurde Sobotka schließlich doch Mittelschullehrer. Sein politischer Ehrgeiz brachte ihn zur ÖVP. Will man in Niederösterreich Karriere machen, geht das nur über diese Partei. Vom Bürgermeister in Waidhofen an der Ybbs schaffte er es mit Mitteln, die Zeitzeugen noch heute empören, zum Landtagsabgeordneten und zum Landesrat für Finanzen. Als solcher verspekulierte er mindestens eine Milliarde Euro an Wohnbaugeldern, was aber politisch folgenlos bleib, da das Land alles unternahm, solche Verluste klein- oder überhaupt wegzureden.

Obwohl er sich schon als Nachfolger des langjährigen Landeshauptmanns Erwin Pröll sah, entschied sich dieser für Johanna Mikl-Leitner und lobte Sobotka ins Innenministerium fort. Als Innenminister verantwortete er die peinliche Kuvert-Affäre um die Bundespräsidentenwahl 2016 und spielte für Sebastian Kurz die Rolle der »Abrissbirne« im Kabinett Kern-Mitterlehner. Dieser machte ihn zum Dank dafür zum Nationalratspräsidenten.

Wird Sobotka nach seiner Rolle bei den Wohnbaudarlehen gefragt und reicht bloßes Niederstarren des Fragestellers nicht mehr, lädt er eine Ladung Bullshit ab, wie vor dem Journalisten Oliver Pink in der *Presse* am 17. September 2022. Sobotka: »In meiner Zeit als Finanzlandesrat in Niederösterreich haben wir nie ein Hochrisikogeschäft gemacht. Es war nie notwendig, dass das Land Notfallkreditlinien oder Haftungen zur Verfügung stellen musste, so wie das in Wien mit zweimal 700 Millionen Euro der Fall war. Bei uns ging es um 200 Millionen, die nie verloren gewesen sind.«

Ein stechender Geruch steigt einem in die Nase, ein scharfer Geruch von Schwindel. Was war wirklich geschehen? Finanzlandesrat Sobotka hatte acht Milliarden Wohnbaudarlehen des Landes, die 4,6 Prozent Zinsen brachten, in der allgemeinen Börseneuphorie des Jahres 2001 um 4,4 Milliarden an »internationale Investoren« verkauft.

Am 11. April 2016 beschrieb ebenfalls in der *Presse* Martin Fritzl diesen Vorgang unter dem vielversprechenden Titel »Wolfgang Sobotka, ein Spekulant?« so: »Zuerst kam der Einbruch auf den Aktienmärkten, später folgten auch noch sinkende Zinsen auf den Anleihemärkten. Verluste hat Niederösterreich mit seiner Veranlagung tatsächlich nicht gemacht, aber die Erträge blieben weit unter den Erwartungen. Laut Rechnungshof gab es zwischen den Jahren 2002 und 2011 eine jährliche Rendite von 1,8 Prozent. Und auch seit damals wurde es nicht viel mehr. Laut Angaben des NÖ Generationenfonds, der diese Mittel verwaltet, waren es im Vorjahr 2,5 Prozent und in den Jahren davor jeweils 2,9 bis 3,9 Prozent.

Fazit: Das Land Niederösterreich erzielt für sein Vermögen Renditen, die dem Umfeld auf den Finanzmärkten angepasst sind. Aber die ursprüngliche Entscheidung, die Darlehen zu verkaufen, war falsch. Das Land hat dadurch, so die Berechnung des Rechnungshofs, mindestens eine Milliarde Euro verloren. Man könnte auch sagen: verspekuliert.« Es ist also richtig, dass »200 Millionen nie verloren« gewesen sind. Es war eine Milliarde. Mindestens. Milde und wissend lächelnd schwebt über den Schwaden geistigen Methangases der Geist von Harry Frankfurt.

Ein intellektuelles Porträt Sobotkas zu zeichnen, erweist sich als schwierig, weil eine Mauer von Bullshit das Vordringen in zweifellos vorhandene ernstere Schichten behindert. Dafür drängen sich physische Eigenschaften vor, oder besser, sie werden narzisstisch in den Vordergrund gerückt.

Das beginnt bei geckenhaften Accessoires, Emblemen des Unernsts, etwa bunten Brillen mit farblich passendem Stecktuch. Erst waren sie türkis, dann, als die Farbe als für einen Nationalratspräsidenten doch zu parteiisch empfunden wurde, traten andere Zuckerlfarben dazu. Das setzt sich fort in Posen, dirigierend bei Neujahrskonzerten in Waidhofen an der Ybbs, nonchalant im materialfreien Büro, »er braucht fürs Arbeiten nur Handy, iPad und eine Mappe mit Unterlagen für den Tag«, berichtete der stets treu kooperierende *Kurier*, denn: »Wer in kleinen Räumen arbeiten muss, bleibt auch im Hirn klein.« Dieser aber ist ein Großer. In Safranrobe und mit Blumengirlanden behangen lächelt er beim Besuch der hindunationalistischen BJP vom Foto. Mit Gründerzeitmiene weist er als Baumeister des Parlaments auf sein Werk, die Kosten- und Zeitrahmen sprengende Renovierung. Aus dem alten Kupferdach des Hauses ließ er Münzen prägen, die Besucher zum Andenken erhalten sollen. Soll heißen: Kein Privileg ist uns zu blöd, keine Anspielung auf unsere feudale Allmacht zu billig.

Gewiss ist es notwendig, im Parlament einen Flügel aufzustellen. Sobotka, der ausgebildete Musiklehrer, kümmerte sich persönlich darum. Er mietete um jährlich 36 000 Euro einen Bösendorfer aus der »Architecture Series«, Modell Secession, Motto »Ver Sacrum« (Heiliger Frühling), dessen Preis (mehr als 190 000 Euro) sich vor allem durch seine reiche 23-Karat-Goldornamentierung rechtfertigt. Dafür könnte man jeden Monat einen echten Konzertflügel mieten, Lieferung und Abtransport inklusive. Das Modell Secession mit 214 Zentimeter Länge entspricht einem gehobenen Salonflügel (Konzertflügel sind länger). Oder man könnte einen Flügel kaufen; mit einer Kaufmiete in dieser Höhe wäre er in fünf Jahren abbezahlt, behält seinen Wert und mehrt das Staatsvermögen.

Als er dafür kritisiert wurde, behauptete Sobotka, der Pianist Roland Batik habe dieses Klavier ausgewählt. Im Verlautbarunsgblatt *Kurier* erschien Folgendes: »Er sieht den Bösendorfer-Flügel Marke Secession aber nicht nur als Instrument, sondern auch als österreichisches Kunstobjekt, wie er immer wieder betont. Ausgesucht wurde dieser nicht von ihm, wie ihm immer wieder vorgehalten wird, sondern vom Pianisten und Komponisten Roland Batik.« Tatsächlich war Batik bei Sobotkas Wahl bei Bösendorfer anwesend, aber nur zufällig, weil er dort routinemäßig Bösendorfer-Flügel anspielt. Als ihn der Flügel aussuchende Sobotka erblickte, bat er ihn, auch das Ver-Sacrum-Modell zu beurteilen; Batik fand es in Ordnung.

Wie Sobotka immer wieder entgegengehalten werden muss, ist dieser Versuch, sich bullshittend aus der Verantwortung zu schleichen, charaktertypisch. Den Secession-Flügel hat er eigenhändig ausgewählt, weil dieser vor allem die Protzbedürfnisse eines banausischen Parvenus befriedigt. Danach will er's nicht gewesen sein. Der ornamentierte Flügel ist mehr Skulptur als Instrument und als solche mehr Kitsch als Kunst. Das Vermächtnis der ornamentfeindlichen Wiener Moderne wäre besser mit Darbietungen auf einem Klavier gewahrt, das Wert darauf legt, möglichst gut zu klingen, nicht möglichst dekorativ auszusehen.

Niemand ist an seinem Gesicht unschuldig, heißt es, doch nehme man das Gesicht stets zusammen mit dem Werk. Ich kannte Wiener Fleischhauer mit dem Gesicht von Statuen, wie sie auf den Osterinseln stehen, jedoch mit einem Herzen aus Samt. Das Antlitz des Pianisten Swjatoslaw Richter gleicht dem eines faschistischen Diktators; dennoch würde diese Ähnlichkeit nicht zur Charakterisierung seines Klavierspiels taugen (außer man fragt gewisse Kollegen).

Wolfgang Sobotka, ich habe es erwähnt, sieht aus wie Benito Mussolini, und wenn er in einer seiner grantigen Stimmungen im Parlamentspräsidentensitz hängt, nimmt sich diese mürrische Markigkeit ganz anders aus, als wenn er die Persönlichkeit wechselt und ein Orchester von Amateuren dirigiert oder sich in einer Tratschsendung des Fernsehens jovial auf dem Cello ergeht.

Sein Aussehen in diese Betrachtung miteinzubeziehen, ist das anständig? Gewiss. In diesem Fall ist es vom Ansehen nicht zu trennen. Das Amt, das Wolfgang Sobotka am Ende seiner Karriere innehat, ist das des Nationalratspräsidenten, nach dem des Bundespräsidenten und dem des Bundeskanzlers das dritte in der Hierarchie der österreichischen Ämter. Vom Nationalratspräsidenten verlangt man in Anbetracht der österreichischen Geschichte der Ersten Republik ein besonderes Auftreten, ein ruhiges, gleichsam über den Parteien stehendes, diskretes Verhalten, keinen Rückzug aus der Inszenierung (das geht nicht), aber doch eine Inszenierung der Zurückhaltung. Man kann auch sagen: Anstand.

Bisher besetzten sämtliche im Parlament vertretenen Parteien mit Ausnahme der KPÖ und der NEOS diese Funktion, und nie gab es ernsthafte Klagen über die Amtsführung, nicht einmal bei dem weit Rechten Martin Graf und bei Norbert Hofer, dem Gegner Alexander Van der Bellens in der Präsidentschaftswahl 2016. Wohl kam es zu Peinlichkeiten, etwa als Andreas Khol dem glamourösen Stimmenbringer der ÖVP, dem mittlerweile in erster Instanz wegen Bestechlichkeit verurteilten Finanzminister Karl-Heinz Grasser, bei eingeschaltetem Mikrofon nach einer von dessen gleißnerischen Reden auf offener Bühne mit einem herzhaften »Bravo, Karl-Heinz!« gratulierte. Sonst aber stand doch das Dekorum im Vordergrund. Man versuchte, den Anstand zu wahren und die eigene Erscheinung zurückzunehmen, wohl auch in der Furcht, durch überzogene Präsenz die nur unruhig schlummernden Geister des ewigen Bürgerkriegs aufzuwecken.

Wolfgang Sobotka kennt keine solchen Rücksichten. Schon als Abgeordneter intervenierte er bei Debatten brüllend mit hochrotem Kopf, wie ein zum Meme gewordenes Foto bezeugt. Er provozierte mit seinen türkisen Emblemen und machte grinsend aus seiner Parteilichkeit kein Hehl, sodass er allgemein als der parteiischste Parlamentspräsident der Zweiten Republik empfunden wird. Seine Geckenhaftigkeit und sein vielgestaltig hohler Narzissmus sorgen für das Gegenteil nobler Zurückhaltung: Es ist parvenuhaftes Gewusel, penetrante Aufdringlichkeit, ein permanentes Sich-Vordrängen, das vor keiner Lächerlichkeit zurückschrickt, weil es sie vermutlich gar nicht bemerkt. Im Gegenteil. Dieser hier legt höchsten Wert darauf, bemerkt zu werden.

Als Sobotka zum Tag der Deutschen Einheit eingeladen war, im Sächsischen Landtag zu sprechen, war dies naturgemäß keinem einzigen deutschen Presseerzeugnis eine Erwähnung wert. Keinem einzigen? Nein, die Aussendung der Nachrichtenagentur APA mit der Nummer APA0438 berichtete am 3. Oktober 2022 vom Tag der Deutschen Einheit, aber leider unvollkommen. Sie übernahm einen Bericht der Deutschen Presseagentur (DPA), wohl in der Annahme, auch Sobotka würde erwähnt. Doch in der Meldung, die ausschließlich vom Tag der Deutschen Einheit in Sachsen handelte, war von Sobotka keine Rede. Wenig später fand sich in der APA-Meldung der Absatz »Nationalratspräsident Wolfgang Sobotka (ÖVP) würdigte in einer Rede vor dem Sächsischen Landtag anlässlich der Feierstunde zum Tag der Deutschen Einheit 2022 die Wiedervereinigung Deutschlands ›ohne Gewalt, ohne zerstörerische Revolution‹. Laut Redetext hielt Sobotka fest: ›Dazu kann man nur und darf auch nach 32 Jahren mit großem Respekt gratulieren und sich über die Entwicklungen, die das Gemeinsame Deutschland genommen hat, freuen.‹«

Darunter stand ein bescheidener »Aktualisierungs-Hinweis«: »Neu: Rede von Nationalratspräsident Wolfgang Sobotka würdigte vor dem Sächsischen Landtag (Untertitel adaptiert und letzter Absatz hinzugefügt).« Zu dieser Vervollständigung mit eitlem Bullshit (»zerstörerische Revolution«) kann man nur und darf auch noch in vielen Jahren gratulieren.

Sobotka kann auch parfümierten Bullshit. Als Beispiel diene sein Besuch bei Prinz Charles auf dessen Gut, den ich auf einem mauvefarbenen Tagebuchblatt so festhielt:

Jüngst war Sobotka in London. Was konnte er in Erfahrung bringen? Queen Elizabeth überlege, an der traditionellen Militärparade Trooping the Colour teilzunehmen, berichteten die *Oberösterreichischen Nachrichten*. Da wäre es wichtig, zu wissen, was dran ist. Leider: »Details konnte auch Nationalratspräsident Wolfgang Sobotka (VP), der am Montag Vormittag Prinz Charles in Highgrove Gardens traf, nicht in Erfahrung bringen. Er habe Fragen nach der Queen bewusst ausgelassen, sagte Sobotka. Das Protokoll sei rigide, das sei so zu akzeptieren.«

Hochrangig war er also wieder, auch wenn er nichts in Erfahrung bringen konnte. Prinz. Rigide ans Protokoll gehalten. Dieses sagte: hochrangig Maul halten, und Sobotka hielt. Hochgradig, äh, hochrangig. Als was war er überhaupt dort? Als Royals-Klatschreporter? Als Parlamentspräsident? Nein, wissen die *Oberösterreichischen Nachrichten*, »Sobotka war in seiner Funktion als Präsident der Bewegung ›Natur im Garten‹ eingeladen worden. In Highgrove Gardens betreibt Prinz Charles unter anderem ein Ausbildungsprogramm für regionale Landwirtschaft. Sobotka, selbst begeisterter Hobbygärtner, brachte als Präsent eine ›nachhaltige und robuste‹ Rose mit, von Charles erhielt er Produkte aus Highgrove Gardens. Prinz Charles wurde vom Nationalratspräsidenten bei einem Vier-Augen-Gespräch nach Österreich eingeladen. Sobotka schwärmte: Prinz Charles sei unprätentiös, humorvoll und habe viel Tiefgang.«

Das kann man von Sobotka nicht gerade behaupten. Aber so ein Foto mit Prinz Charles, bei welchem dem Herrn in keiner Weise schwant, dass er dem Dreiknopfsakko des Herrn neben ihm (vermutlich Savile Row) nicht einmal ansatzweise gewachsen ist, mit seinem zweiknöpfigen, englisch sein wollenden Tweed-Imitat, sichtlich besoffen von seiner wichtigtuerischen »Hochrangigkeit«, die er in Presseaussendungen nach jedem Plauscherl mit einem – Pardon – Hottentotten verlautbart, hochrangig habe man sich ausgetauscht, heißt es da immer, das ist schon hochrangig peinlich. Daran ändert auch das sphinxhafteste Plutzergrinsen nichts, das vermutlich meint, es lächle uns edel, zartfühlend und rosenblättrig an.

Solche Spompanadeln sind zwar Privatsache oder Sache des Vereins »Natur im Garten«, dennoch begleitete der Parlamentsfotograf den Herrn Präsidenten, um ja nicht den magischen Moment mit Charles zu verpassen, den eigentlichen Zweck des Ausflugs. Die Website des Parlaments berichtete selbstverständlich über die bedeutsame Rosenreise.

Zum ständigen Eklat geriet im Parlament die Frage, wer den parlamentarischen ÖVP-Korruptions-Untersuchungsausschuss leiten solle. Ja, so heißt er, und außerdem: »Untersuchungsausschuss betreffend Klärung von Korruptionsvorwürfen gegen ÖVP-Regierungsmitglieder«. Das Gesetz lässt diese Frage offen; man kann es nur so interpretieren, dass der Präsident selbst entscheidet. Durch einen simplen Sachverhalt wurde das Ganze zu einer Frage des Anstands, nämlich durch die Befangenheit Wolfgang Sobotkas. Wie im vorhergehenden Ibiza-Ausschuss bestand Sobotka darauf, keinen Anstand zu haben, und ließ sich erneut zum Vorsitzenden wählen.

Nicht nur bei mir bestand der Verdacht, er habe das getan, nicht obwohl, sondern weil er befangen ist. Es ging dabei weniger um Parteizugehörigkeit, obwohl es der Anstand erfordert hätte, dass nicht ein ÖVP-Mitglied den Vorsitz in einem Ausschuss führt, der die mutmaßliche Korruption dieser Partei untersuchen soll. Nein, Sobotka war, als er die Entscheidung zu treffen hatte, Vorsitzender des Alois-Mock-Instituts, das vom Glücksspielkonzern Novomatic mit Inseraten bedacht wurde. Novomatic ist ein zentraler Komplex im U-Ausschuss. Juristisch genügt der Anschein von Befangenheit, dass ein Richter sich als befangen zu erklären hat; der Anschein von Befangenheit wird mit dieser selbst gleichgesetzt.

Solche Gegebenheiten kümmern Sobotka nicht. Frech grinsend bullshittete er vielmehr faktenwidrig, es sei seine Pflicht, den Vorsitz zu übernehmen. Die Abgeordneten Kai Jan Krainer (SPÖ) und Steffi Krisper (NEOS) protestierten vergebens dagegen. Krisper sagte in der *Presse* vom 23. Mai 2020: »Sobotka ist Präsident des Alois-Mock-Instituts, dessen Zeitschrift *Report* im Jahr 2019 mehrfach mit üppigen Novomatic-Inseraten bedacht wurde. Und Sobotka hat sich in seiner Zeit als niederösterreichischer Finanzlandesrat massiv gegen die damals für das kleine Glücksspiel zuständige Landesrätin Christa Kranzl gestellt, als diese im Jahr 2006 versuchte, den dubiosen Geschäftspraktiken der Novomatic Einhalt zu gebieten.«

Am schönsten, also am klar-unklarsten, sprach sich Sobotka stets als Gast im TV-Sender des Wolfgang Fellner aus, einer der zwielichtigsten Erscheinungen unserer an Niedergangsfiguren nicht armen Medienszene, Zentralgestalt in der Affäre der gekauften Umfragen, die das Image des damals noch nicht zum ÖVP-Obmann gewählten Sebastian Kurz aufputzen sollten. Bei Fellner fühlt sich Sobotka sicher, es ist dort wie ein Plausch unter Komplizen, zwei Sitting Bulls shitten sich gleichsam aus, schütten einander das Herz aus und das Publikum zu. Dort geht Sobotka aus sich heraus und erklärt, was Sache ist. (Dass ein anständiger Mensch bei Fellner nicht aufzutreten hat, ist eine in Österreichs Politik ungültige Maxime, mit der fast alles über diese Politik gesagt ist.)

Bei Fellner also monologisierte Sobotka auf die Frage, ob er nicht doch auf den Vorsitz in diesem Ausschuss verzichten möchte, so:

»Unter welchen Bedingungen? Ich war in keinster Weise in den Untersuchungsgegenstand involviert. Dass man mich geladen hat, war – muss ich einmal sagen – eine Provokation. Und es zeigt sich auch, dass ich im Untersuchungsausschuss bereits die Akten bekomme, dass das Verfahren, das Krisper und Krainer gegen mich angestrengt haben und mich dort angezeigt haben, eingestellt wird, weil es substanzlos ist. Schauen Sie, und so wird agiert. Es wird nicht mehr mit dem politischen Argument und mit der Diskussion agiert. Wird mit Anzeigen agiert. Man bewirft zuerst die Leute mit Schmutz, und dann wird schon irgendetwas hängen bleiben. Und das ist ein politischer Zugang, den ich nicht teile. Man muss nicht alles, was in Amerika gang und gäbe ist, das Dirty Campaigning, und dann in Europa und in Österreich importieren. Ich glaube, wenn man nach Amerika schaut, haben wir genügend Grund, unseren eigenen Weg zu gehen und dieses Dirty Campaigning auch dort zu lassen, wo es erfunden wurde.«

Wie sich herausstellte, war er tatsächlich in »keinster Weise« involviert, also im Superlativ von kein, den man sich als doppelte Negation vorstellen muss, also als das Bekenntnis, sehr wohl involviert gewesen zu sein. Noch einmal: Sobotka war der Präsident des Alois-Mock-Instituts, dieses erhielt Geld von Novomatic, also war er mit einbezogen. »Aber nicht im Untersuchungszeitraum!«, rief er dazu einmal triumphierend. Zumal das Mock-Institut keineswegs parteifrei war, wie er zu suggerieren versuchte, sondern mit der niederösterreichischen ÖVP sogar die Telefonnummer teilte. Im »Projekt Ballhausplatz« der Kurz-Gruppe figurierte es als befreundetes Institut.

Aber, sagt uns Sobotka, der Versuch nachzuweisen, dass er in jeder Weise involviert war, »also das ist ein reines politisches Agieren«, denn aufgepasst, es geht da um etwas ganz anderes: »Und ich muss Ihnen ganz ehrlich sagen« (wenn uns ein versierter Bullshitter sagt, er werde nun ganz ehrlich zu uns sprechen, ist man auf einen Steigerungsgrad der Absurdität gefasst): »Das Problem, das wir haben«, ist nicht Sobotkas

Anscheinsbefangenheit, sondern »dass Persönlichkeitsschutz, Briefgeheimnis, vertraute Mitteilungen ganz einfach ungefiltert an die Öffentlichkeit gespielt werden – von wem auch immer. Sei es von Abgeordneten, sei es von Gerichtsinstanzen oder sei es – also von Staatsanwaltsinstanzen oder …«

Damit fügt sich unser Bulle in die Erzählung der ÖVP ein, die von Anfang an (man erinnere sich an Kurz' Kampagne gegen die WKStA) die untersuchende Staatsanwaltschaft zu diskreditieren versuchte. Der Mann, dem politische Unvereinbarkeit in der Amtsführung vorgeworfen wird, stellt sich zugleich (»das Problem, das wir haben«) mit dem Gegenstand dieser Untersuchung, dem Treiben der aufgeflogenen korruptionsverdächtigen Chattenden, auf eine Stufe. Wobei es stets nur um politisch relevante Chat-Nachrichten ging, nicht um privates Zeug; die Existenz von Dick-Pics und ähnliches Unanständiges wurde zwar anfangs kurz erwähnt, verschwand aber anständigerweise sofort aus der Öffentlichkeit.

Es ist also chemisch reiner Bullshit, den Sobotka hier absondert: »Und ich glaube, das ist für uns eine wirkliche traurige Situation, dass die Europäische Menschenrechtskonvention, die bei uns im Verfassungsrang steht und die bei uns im Artikel 8, dem Persönlichkeitsschutz, ganz hoch hängt, dass die so missachtet wird. Was würden Sie denken, wenn Ihre Chats mit Ihrer Frau in die Öffentlichkeit kommen? Was Sie immer auch sagen. Ich glaube, das Private hat auch Recht, privat zu bleiben, auch wenn es ein berufliches Verkehren ist. Ich glaube, dass man in einem persönlichen Verhältnis, wo man mit Menschen sich unterhält, natürlich oft salopper, flapsiger – ist nicht meine Sprache. Aber das muss man ah zur Kenntnis nehmen, dass ein privates Gespräch etwas – ein vertrauliches Gespräch was anderes ist wie ein öffentliches. Weil in der Öffentlichkeit hat man auch so etwas wie einen Anstand zu wahren, und dieser Anstand wird wirklich gröblichst verletzt.«

Als politischer Anstandswauwau bin ich von dieser Passage hingerissen. Wie menschlich, allzu menschlich Sobotka doch hier seinen Entschluss begründet, und wie er, dessen Parteifreunde doch gerade der gröbsten politischen Unanständigkeit überführt wurden, nämlich sich mittels gefälschter Umfragen den Posten des Parteiobmanns erschlichen zu haben, und wie er, der diesem kommenden Parteiobmann gegen den amtierenden Parteiobmann und Vizekanzler den Rücken stärkte und das Kern-Mitterlehner-Kabinett ständig derart unanständig blockierte und sabotierte, dass das Wort »Sobotage« in die Welt kam, wie er die Kritik an solchem Fehlverhalten als Menschenrechtsverletzung hinstellt, das wäre große Klasse, wenn es nicht zugleich sowas von Unterliga wäre.

Denn Sobotka kann oder will es nicht formulieren. Bei ihm liegt nicht nur eine Form von unklarmachender Klarheit vor, sondern eine scheinbar aus dem Innersten kommende Artikulationsunfähigkeit, sozusagen eine eingewachsene Verwirrung, ein hechelndes Unklarsein, um ein Wort des Komponisten Luigi Nono zu pervertieren, ein verwirrendes Verwirrtsein, das nicht anders kann, als sein Publikum zu verwirren, weil es selbst verwirrt ist. Wie kann so einer eine Mozart-Partitur nicht nur entziffern, sondern sogar dirigieren? Rätsel der Schöpfung. Ist nicht meine Sprache. Weder diese noch sonst eine.

Aus Sobotkas methanöser Nebelsprache, dem Sobotkinesischen, muss man stets Übersetzungen anfertigen, um zu verstehen, was er meint, wenn er zum Beispiel sagt, »er komme seiner verfassungsmäßigen Konformität nach«. Oder: »Ich kann nur anmerken, dass die Bestellung genau dem Vorschlag der Begutachtungskommission gefolgt hat, so wie ich das seit

Jahren mache. Ich bin jetzt doch dreißig Jahre in der Berufspolitik und habe noch nie gegen das Gesetz verstoßen.« Er folgt also seit Jahrzehnten dem gleichen Vorschlag der Berufungskommission, und wie durch ein Wunder kommen stets seine Leute in die richtigen Posten.

Aber in all seiner Verwirrung hat der Mann eine Grundklarheit: wer Freund und wer Feind ist. Die unterscheidet er mit der Verve eines Carl Schmitt – aber ohne einen Hauch von dessen intellektueller Schärfe – an der Parteifarbe, und diese Unterscheidung hält er mit der Geradlinigkeit eines gereizten Stieres durch.

Dass dieser bullshittende Büttel des Oberbullshitters Kurz die Stirn hat, die Menschenrechtskonvention ins Spiel zu bringen, und wie er das formuliert! Das könnte man auf der Geige begleiten, wie Ferdinand den Stier. »Man kennt mich als durchaus auch manchmal temperamentvollen Menschen, wird vielleicht manchmal eine Formulierung nicht so geschliffen gewesen sein, wenn ich sie im so wirklichen Zwiegespräch geführt habe. Ich glaube nur: Dort, wo es um Aufklärung geht, ja; dort, wo es um Vertrautes geht, Persönliches geht, nein! Jahrzehnte, ich würde sagen Jahrhunderte, haben die Menschen darum gekämpft, dass wirklich niemand ihre privaten Briefe öffnet. Das ist ein Grundrecht unserer Gesellschaft. Versammlungsfreiheit, Briefgeheimnis, Meinungsfreiheit. Und das wird hier wirklich mit Füßen getreten, und dem gilt es wirklich, einen Riegel vorzuschieben. Da sind wir viele und sind wir alle gefordert.«

Es ging »im so wirklichen Zwiegespräch« um ein Telefonat mit dem Sektionschef im Justizministerium, dem Spitzenbeamten Christian Pilnacek, der zugunsten der ÖVP in Verfahren eingriff und in einem Verfahren verdächtige ehemalige ÖVP-Spitzenpolitiker empfing (wir kennen Pilnacek aus dem vorigen Kapitel). Außerdem verriet er Amtsgeheimnisse an Medien. Und er telefonierte mit Wolfgang Sobotka. Zwölf Anrufe verzeichnet das Protokoll in den paar Tagen, ehe Pilnaceks Handy von der Polizei beschlagnahmt wurde. Viermal kam ein Gespräch zustande, meist spät nachts. Es muss also sehr privat oder sehr besorgniserregend gewesen sein, was da zu besprechen war. Pilnacek wurde übrigens gerichtlich freigesprochen, er blieb aber dienstlich suspendiert.

Sobotka gewährte Wolfgang Fellner einen Einblick in seine private, menschenrechtsgeschützte Welt: »Erstens einmal ist es ein privates Gespräch, und wenn Sie Verständnis haben, dass ich das nicht in der Öffentlichkeit wiedergebe, weil es ist zwischen mir und ihm stattgefunden. Pilnacek ist seit meiner Zeit als Innenminister ein guter Partner, ein Freund. War es und wird es auch bleiben in der Zukunft, und ich werde mir von niemandem in irgendeiner Form irgendwas vorhalten lassen, mit wem ich oder wann ich mit wem telefoniere. Pilnacek ist kein Mitglied der ÖVP. Ist eine anhängige Causa. Schauen wir, was das Gericht herausbringt dann. Ich glaube, diese permanenten Vorverurteilungen, dass schon dieses anrüchige, dass man hier versucht, hier schon untergriffig zu agieren – das ist nicht meine Welt.«

In dieser Welt befindet sich das schon mehrfach erwähnte Alois-Mock-Institut zu Sankt Pölten. Dessen Gründer im Jahr 2012 und Obmann bis März 2019 und Präsident bis zu dessen Auflösung 2022 ist: Wolfgang Sobotka. Das Alois-Mock-Institut erhielt nicht nur Geld von Novomatic, es erhielt zwischen Dezember 2017 und Oktober 2019 mehr als 150.000 Euro von Unternehmen, an denen das Land Niederösterreich beteiligt ist. Es definierte sich als Thinktank; bemerkenswerte Gedanken oder auch nur welche, die man bemerkt hätte, schwammen nicht an die Oberfläche dieses Tanks.

Zu Fellner sagte Sobotka: »Schauen Sie nur, was bei mir passiert ist mit dem Alois-Mock-Institut. Was hat man da alles versucht zu konstruieren. Und was ist herausgekommen? Nix. Ich glaube, man soll ... Und das ist ein typischer Fall, wo ich sage: Dort wird schon vorher, wird schon klar positioniert, wird die Meinung gebildet, werden Sachen zusammengestellt und konstruiert – wenn was dahinter ist, sollen die Gerichte erheben, also zuerst die Staatsanwalt – letzten Endes ihre Arbeit machen mit dem Einwirken auch und dem Vernehmen auch durch die Polizei oder durch ihre Stellen, und dann soll das Gericht das klären, wenn es reif ist zu einer dementsprechenden Anklage. Aber vorher, glaube ich, dieses permanente An-den-Pranger-Stellen, das ist schlimmer wie im Mittelalter. Weil ich sage Ihnen eines: Da werden Leute, die gar nichts hatten – und das ist jetzt gar nichts – abgesehen von dem Fall – werden dadurch – und ich könnte Ihnen wirklich einige zeigen – schwerstens in ihrer Persönlichkeit vernichtet. Das kann nicht das Wesen eines modernen Rechtsstaats sein. Der Persönlichkeitsschutz – noch einmal zurückgehen auf die EMRK –, der gilt für Pilnacek, der gilt für – genauso für den Herrn Maier und für die Frau Müller.

Ich habe das nie öffentlich gemacht, dass ich persönlich, aber auch die ÖVP sehr stark zu einem Rechtsstaat stehen, ihn auch vertrauen, insbesondere, was die Gerichte und die Unabhängigkeit der Gerichte anlangt. Dass es da und dort natürlich auch Kritik geben kann – da kann man diskutieren, wie sie zu äußern ist, das ist selbstverständlich, weil niemand steht über dem Gesetz. Und das ist eigentlich das Wesentliche. Und ich hoffe, dass wir alles daran setzen und da kann jeder einen Beitrag leisten, mein Beitrag ist dahingehend, dass ich das nicht öffentlich diskutiere. Und Sie werden keinen öffentlichen Kommentar von mir in dieser Form finden. Sondern dass ich dementsprechend mit den unterschiedlichsten Verantwortungsträgern rede und sie ermuntere, alles das zu tun, dass wir wirklich alles korrekt ablaufen lassen. Also Ärger ist keine Kategorie, stell mir vor, Befindlichkeit ist keine Kategorie. Und daher habe ich keine Befindlichkeit.«

Abgesehen von der atemberaubenden Stringenz dieses Satzes handelt es sich um das immer gleiche Muster. Ohne staatsanwaltliche Ermittlungen wäre nichts aufgekommen. Daher versucht man, die Staatsanwaltschaft madig zu machen. Wenn solche Bemühungen nicht verhindern können, dass diese zu ermitteln beginnt, behindert man die Ermittlungen und verschleppt sie so lange, bis nichts mehr zu finden ist. Man setzt stets frohgemut auf die juristische Karte, weil man sicher ist, sie zinken zu können.

Das ist der Bullshit aller Bullshits: Obwohl ich Herrn Sobotka nicht vorwerfe, er habe sich strafrechtlich etwas zuschulden kommen lassen, wirft er mir und allen seinen Kritikern vorauseilend genau das vor. Das wäre zwar nicht gleichgültig, aber es steht nicht im Vordergrund.

Ich werfe ihm vor, dass er politisch unmöglich ist. Dass er keinen Anstand hat. Dass er hinter seiner unklaren Klarheit eine politische Agenda der Finsternis betreibt, die mit allen Mitteln die Aufklärung von Korruption in jenen Organen behindert, die sie aufklären sollen, am deutlichsten sichtbar in den Untersuchungsausschüssen des Parlaments. Womöglich hat er nicht nur im Inneren gegen jene Regierung intrigiert, der er selbst als Innenminister angehörte. Der ehemalige sozialdemokratische Bundeskanzler Christian Kern berichtete, dass 2016 ein in Diskussion stehendes österreichisch-ungarisches Übereinkommen betreffend Migration hintertrieben worden sei. Viktor Orbán teilte Kern damals mit, ein österreichisches Regierungsmitglied habe ihn am Vormittag angerufen und mitgeteilt, dass eine solche Vereinbarung nicht in Österreichs Interesse liege: »Ihr wollt das gar nicht«, erklärte er Kern. Dieser und Kanzleramtsminister Thomas Drozda vermuteten Sobotka hinter der Aktion. In einer parlamentarischen Anfrage damit konfrontiert, ließ Sobotka antworten: »Mir sind lediglich diesbezügliche Medienberichte bekannt.«

Mit einem Wort, ich kritisiere Sobotka politisch, er aber versteckt sich juristisch. Zugleich greift er die Justiz an. Auch das soll einen glauben machen, alles sei eine Frage der Gerichte, wo man Verfahren in die Länge ziehen, mit Hilfe von hoch honorierten Anwaltskanzleien, vielleicht gar mit Hilfe eigener Leute in Polizei und Justiz »derschlagen« kann, wie ein anderes berühmt gewordenes Pilnacek-Wort lautet (er wandte es auf den jahrzehntelang schwelenden, nie zur Aufklärung gelangten Skandal um die Beschaffung von Abfangjägern an). In der juristischen Frage will man die politische verstecken und zum Verschwinden bringen. So machen sie es alle, von Trump abwärts.

»Schauen wir, was das Gericht herausbringt dann.« Darin steckt die Gewissheit, dass es nichts herausbringen wird, weil man es schon verhindern wird, irgendwie.

Wie aufklärungsfreudig Sobotka wirklich ist, zeigte sich, als er als Auskunftsperson vor jenen Untersuchungsausschuss geladen wurde, den er absurderweise selbst leitete. Dies geschah zweimal, zum zweiten Mal am 24. Juni 2022. Weit weniger amikal ist hier der Tonfall als bei Fellner TV! Wie frohgemut schindet Sobotka Zeit und tut alles, um auch nur den Ansatz einer Frage zu behindern! Man muss das wenigstens in einem kurzen Auszug wörtlich zur Kenntnis nehmen, um es zu glauben. Dankenswerterweise gibt das Parlament Protokolle dieser Befragungen heraus, sodass es möglich ist, bei der Befragung der Auskunftsperson Sobotka dabei zu sein, ohne anwesend zu sein, obwohl anders als in vielen zivilisierten Ländern eine Live-Übertragung von Ausschüssen in Österreich nicht vorgesehen ist (verhindert, dreimal dürfen Sie raten, von Sobotkas Volkspartei). Es ist dies eine Lektion in legalistischem Bullshit, an der selbst ein Herkules verzweifeln müsste.

Die Abgeordnete Nina Tomaselli (Grüne) fragt:

»Herr Sobotka, Sie waren ja, wie gesagt, im September schon hier. Seither ist aber einige Zeit vergangen, und seither sind auch durchaus noch besprechenswerte Dinge dazugekommen. Eine Sache lässt mir persönlich auch keine Ruhe, und dabei handelt es sich um das Interview, das Sie am 10.12. bei ›Fellner! Live‹ gegeben haben, in dem Sie auf eine Frage antworten: ›Naja, Sie kennen das Geschäft ja. Für jedes Inserat gibt es ein Gegengeschäft.‹ Dann weiter im Text: ›Für die Sache, das ... die Novomatic hat für das Land NÖ‹ – Niederösterreich –, ›weil sie den Sitz hat, insgesamt eine sechsstellige Summe ausgesucht und das Land NÖ‹ – Niederösterreich – ›berät die Novomatic und sagt, macht es einmal mit dem und einmal mit dem.‹ Wie kann man sich das vorstellen, dass das Land Niederösterreich die Novomatic berät? Ging es dabei auch um Vereine oder Organisationen, bei denen Sie einen Einfluss hatten?

(Abg. Stocker hebt die Hand. – Die folgende Geschäftsordnungsdebatte, eine von unzähligen, mit denen die ÖVP dort Zeit schindet, lasse ich aus, um zur Antwort zu kommen.)

Mag. Wolfgang Sobotka: Wenn ich dergestalt antworten darf, dass ich sage, ich tu mich schwer, das im Untersuchungsgegenstand einzuordnen, weil ich weder im Bereich der Vollziehung des Bundes tätig bin, noch ein Mitglied der Bundesregierung zu diesem Zeitpunkt –, und schlussendlich ist das Interview auch außerhalb des Zeitraumes. Aber ich darf vielleicht zwei Dinge anmerken: Was das ›Inserat‹ war – und Sie kennen ein Interview –, dann ist das etwas lockerer in dieser Sache. Ein Inserat – und das können Sie auch aus meiner ersten Stellungnahme ersehen – hat eine Gegenleistung. Das ist dort als ›Gegengeschäft‹ bezeichnet worden. Die Gegenleistung ist ganz einfach eine Veröffentlichung in einem Medium, und das war damit gemeint.

Was das Zweite betrifft, ist es darum gegangen, dass die Novomatic verschiedenste kulturelle Institutionen im Bereich des Landes Niederösterreich – weil die Firma dort ihren Sitz hat und weil sie auch eine dementsprechende soziale und eine kulturelle Verantwortung wahrnimmt – doch seit geraumer Zeit immer wieder auch unterstützt. Das ist eine Spende oder auch dann einmal ein Sponsoring, wenn – ich habe mich sehr genau erkundigt, wie das damals gelaufen ist –, dass man hier um Beträge ganz einfach ansuchen konnte, und die Novomatic hat das geprüft und hat das eine oder andere – und da waren viele niederösterreichische Organisationen dabei, die sie dabei unterstützt haben.«

Ist das nicht großartig? Schon die Einleitungsfloskel »Wenn ich dergestalt antworten darf, dass ich sage, ich tu mich schwer« bietet lupenreines Sobotkinesisch. Um das Ausmaß des hier geäußerten Bullshits ermessen zu können, ist ein Rückblick auf jene schon zuvor kurz zitierte Urszene notwendig, auf die die Abgeordnete hier Bezug nimmt, auf das Interview bei Wolfgang Fellner.

Man kann es eine Schlüsselszene der Republik Kurz nennen. Zwei Hauptakteure dieser Ära gemeinsam vor der Kamera, auf der Karikatur eines TV-Senders, einer Veranstaltung nur zum Zweck der umfassenden Abzocke auf oe24.TV. Der Großmeister im Verstreichenlassen jedes medienethischen Ablaufdatums zeigte sich gemeinsam mit dem Schmierendarsteller des Nationalratspräsidenten im Gespräch über das Wesen ihrer wechselseitigen Existenz. Es war ein Gespräch wie ein Gegengeschäft, ein Gespräch als Gegengeschäft. Ein gemeinsames Unwesen, ein öffentliches, gutgelauntes Verwesen.

Es ist ja nicht so, dass man es bei Fellner nicht von Anfang an gewusst hätte. Die Brüder Wolfgang und Helmuth Fellner erfassten schon in jugendlichem Alter das Wesen des Journalismus. Ihre erste Publikation hieß *Rennbahn-Express*. Hier wurde bereits gegengeschäftig kooperiert; moralisch hochstehende Minister der SPÖ interessierten das Publikum zwar weniger als Popstars und Pickelcreme, aber sie kamen dick vor, denn der junge Wolfgang Fellner wusste von Anfang an, was ein echtes Gegengeschäft ist: Sie zahlen, wir schreiben. Die Illustrierte *Basta* gründete er danach mit Hilfe der SPÖ, man weiß von diesem Gegengeschäft dank einer Aktentasche, die der SP-Kampagnenleiter und spätere Geschäftsführer der *Kronen Zeitung*, Hans Mahr vulgo Mahrhansi, in Graz vergaß. Eine literarische Satire über den Grünpolitiker und Schauspieler Herbert Fux wurde dann in der ersten noch vor der Nationalratswahl 1983 erschienenen Nummer als Tatsachenbericht präsentiert. Er vernichtete die Grünen, die auf den Einzug ins Parlament gehofft hatten.

Fellners rauschende Präsentationsfeste der diversen folgenden Publikationen in den Museen, Theatern und Kulturpalästen der Republik waren Apotheosen des Gegengeschäfts; die Partner marschierten auf und erwiesen ihm, ihrem Partner, die Reverenz, vom Spitzenkoch bis zum Spitzenpolitiker, alle da, alle zu Diensten. Fellner selbst, journalistisch nicht unbegabt, nutzte sein Talent vor allem für die gegengeschäftliche Sparte und blieb ihnen nichts schuldig. Spätere Generationen werden staunend registrieren, wie so einer nicht nur ungestraft durchkommen konnte, sondern dabei auch noch reich wurde.

Sein Gegenüber, aufgeblasen von einem Selbstbewusstsein, das sich nur aus der heißen Luft des Selbstbetrugs bläht. Da saßen sie vis-à-vis, der eine wohlbeleibt, auch mimisch von jeder moralischen Hemmung befreit und im Vollgefühl seiner gegengeschäftlichen Macht, der andere manisch aufgekratzt in seiner monströsen Gefühllosigkeit für Unvereinbarkeit, zwei Schwergewichte der österreichischen Katastrophe, zwei Existenzen, die jede für sich nur durch die Missachtung jeglichen geltenden Anstands überhaupt existieren, da saßen sie und redeten ganz entspannt und unbefangen über ihr gemeinsames Gewerbe, zwei der ältesten Profis der Welt, beide ohne jede falsche Scham, beide reich entlohnt von der türkisen Regierung.

Es kam zu jener Passage im Gespräch, die mittlerweile wie andere Anstandsverletzungen in den Sprachschatz österreichischer Volkstümlichkeit aufgenommen wurde.

»Sobotka: Erstens habe ich nie Spenden genommen.

Fellner: Ja.

Sobotka: Ich hätt sie genommen, wenn sie rechtmäßig …

Fellner: Aber Inserate oder wie immer man das bezeichnet …

Sobotka: Sie kennen das G'schäft, fürs Inserat gibt's a Gegeng'schäft, oder?

Fellner: Ja natürlich.

Sobotka: Natürlich. Und das wird man wohl machen dürfen, wenn man einen Thinktank hat. Das Zweite, sie waren konzentriert …

Fellner: Und das Gegengeschäft fürs Orchester, fürs Dirigieren …

> Sobotka: Für die Sache … das … die Novomatic hat für das Land Niederösterreich, weil sie den Sitz haben, insgesamt eine sechsstellige Summe ausgesetzt, und das Land Niederösterreich berät die Novomatic und sagt: Mocht's es amol mit dem und amol mit dem …«

»Sie kennen das G'schäft«, so spricht ein Connaisseur zum anderen. Die beiden spielen hier wissend auf jene Praktik an, mit welcher der Verleger Fellner Speck ansetzte. Ein Inserat ist das Ergebnis eines Geschäfts. Man gibt Geld und bekommt dafür Anzeigenraum oder Werbezeit.

Gegengeschäft hingegen bedeutet, dass darüber hinaus getauscht wird, dass also nicht oder nicht nur mit Geld bezahlt wird, sondern auch mit etwas anderem, das man eintauscht. In der Regel ist damit in der korrupten österreichischen Medienlandschaft gemeint, dass drei Dinge gleichzeitig eintreten: eine Kickbackzahlung für den, der das Geschäft abwickelt oder initiiert, ein Zusatzgeschenk für den Inserierenden und dann noch das eigentliche Geschäft der Werbung. Dieses Zusatzgeschenk besteht meist in der »G'schicht«, also der korrupten, dem zahlenden Inserenten gefälligen journalistischen Story. Beugt man sich diesen Usancen nicht, hat man es im Inseratengeschäft schwer.

Das Wort »gegen« allein signalisiert, dass hier eine zusätzliche Absprache zum einfachen Tauschgeschäft tritt, dass es eben kein normales Geschäft ist, wie uns der Bullshit Sobotkas weismachen will. Er ist natürlich nicht so dumm, das nicht zu wissen, er ist vielmehr frech genug, einfach haufenweise stark duftenden Unsinn abzusetzen.

Es war für die österreichische Öffentlichkeit ein schlechtes Geschäft, als dieser Mann Präsident des Nationalrats wurde. Mit seiner Besetzung wurde offiziell, dass Wahrhaftigkeit nur eine Frage der Macht ist. Der schöne Schein wich der grinsenden Monstrosität eines Demokratieschaustellers, hinter der man Düsteres vermuten kann, vor allem, wenn es um Demokratie geht. Es stimmt, sagte er auf den Vorhalt eines Journalisten der *Tiroler Tageszeitung,* nicht alle bei einer von ihm veranstalteten Tagung der Parlamentspräsidenten in Wien vertretenen Staaten, etwa China, Russland oder Indien, entsprächen demokratischen Standards: »Mir geht diese westliche Überlegenheit etwas gegen den Strich. Wir sollten hinterfragen, ob dieser Export unseres politischen Modells unsere Aufgabe sein kann – oder doch gegenseitiger Respekt und Austausch. Wir müssen schon auch unsere Vorstellungen überdenken. Auch in der Vergangenheit waren Parlamente nicht immer demokratisch, sondern oft nur dazu da, Wünsche des Monarchen abzusegnen.« Und: »Die Volksrepublik China etwa lehnt jede Einmischung in ihre inneren Angelegenheiten strikt ab. Wir dürfen nicht davon ausgehen, dass alles so sein muss wie in Europa.«

Als man ihn im *Kurier* nach seinem Besuch im indischen Unterhaus Lok Sabha, wo man gerade den Premierminister Narendra Modi, einen Rechtspopulisten und Verführer der Massen, mit Sprechchören feierte, zu Modis Hindu-Nationalismus befragte, antwortete er: »Modi hat sicher das Ziel, das Bewusstsein der Hindus zu stärken, und dabei unter seiner Regierung Maßnahmen erlassen, die zu vielen Diskussionen führen. Wesentlich ist, dass in der Bevölkerung selbst die Menschen unterschiedlicher Religionen aber zumeist gut miteinander umgehen. Was mich ärgert, ist diese Populismuskeule, die jeden Diskurs zerstört. Eine Gesellschaft ändert sich, es gibt immer Pendelbewegungen.«

Das ist so abgrundtief pervers und verkehrt, das ist so schreiend verrückt und unwürdig, das stellt eine derartige Verachtung der gequälten indischen Minderheiten aller Arten dar, dass man sich kaum fassen kann. Die immer noch als bürgerlich bezeichnete Tageszeitung *Kurier* versuchte ja nichts anderes, als diesem fürchterlichen Parlamentspräsidenten Gelegenheit zu geben, seinen diplomatischen Fauxpas im Nachhinein ein wenig zu korrigieren. Aber sie bekam zur Antwort, wer den Populisten Modi beim Namen nenne, der schwinge jene Populismuskeule, die jeden Diskurs zerstört. Das kann man nur so verstehen, dass Sobotka sich mit dem Safrangelb der Hindutva-Bewegung identifiziert und den Diskurszerstörer Modi in Schutz nimmt. Versteht er es als »Pendelbewegung«, wenn Hindus aufgestachelt werden, Moslems die Schädel einzuschlagen und deren Häuser anzuzünden? Und was würde er als »Gegenpendelbewegung« empfehlen?

Hinter Sobotkas Bullshit steht ein beinhart breiiges ideologisches Programm, das irgendwo zwischen den »ungarischen Freunden« und einem restaurativen Rückbau der Republik Bruno Kreiskys schwankt, mit zarten Anklängen an einen Klerikofaschismus wie der Gebetsstunde im Parlament und handfesten Angriffen auf demokratische Transparenz. Was soll denn heißen: »Wir müssen unsere Vorstellungen überdenken«? Müssen wir es demokratisch ein bisserl billiger geben? Ein bisserl illiberaler? In diesen scheinbar tollpatschigen Zweideutigkeiten klingt allzu deutlich Drohendes durch. Wo Kurz in seiner Darstellung eine disziplinierte, intransparent glatte Charaktermaske zeigte, reißt die überbordende Selbstgefälligkeit Sobotkas immer wieder Lücken zum Durchblick auf in die illiberale Demokratie.

Spricht denn gar nichts für Sobotka? Kämpft er nicht unermüdlich gegen Antisemitismus? Wer würde ihm darin nicht beipflichten? Wer Antiantisemit ist, kann politisch kein schlechter Mensch sein. Der Kampf kann gar nicht ostentativ genug sein, sodass sich auch die Rechte allerorten seiner bemächtigt. In einem öffentlichen Gespräch mit dem deutsch-französischen Politiker und Talkmaster Michel Friedman und anderen am internationalen Tag des Gedenkens an die Opfer des Holocaust am 27. Jänner 2022, dessen Transkript man selbstverständlich auf der Website des Parlaments nachlesen kann, pflichteten Friedman und Sobotka einander ununterbrochen bei, selbst noch, als Friedman auf die Rolle der katholischen Kirche bei der Etablierung des Antisemitismus als Sündenbockgeschichte verwies.

In dieser Anti-Antisemitismus-Veranstaltung kam das Gutmenschliche in Sobotka dann doch an sein Ende. Als Friedman erwähnte, dass Viktor Orbán in Österreichs Nachbarschaft den Antisemitismus schüre, blieb Sobotka stumm.

4. OLIGARCHIE UND DEMOKRATIE

Alles, was bisher über Sebastian Kurz gesagt wurde, bitte ich, nicht persönlich zu nehmen, nur weil ich es persönlich erlebt und durchlitten habe. Viele schöne Augenblicke musste ich beim Versuch aussparen, die geschwollene Chronik des Wahnsinns und des Dilettantismus auf das Nötigste zu beschränken; es geht darum, zu verstehen, was in den Kurz-Jahren geschehen ist.

Das Bild der Persönlichkeit von Sebastian Kurz hat mich dabei nie interessiert. Lassen Sie sich nicht täuschen! Wenn hier von Kurz die Rede war und von Anstand, dann immer von der öffentlichen Person, vom politischen Darsteller, vom Staatsschauspieler Kurz. Er ist körpersprachlich und eristisch (rechthaberisch, nicht zu verwechseln mit rhetorisch) perfekt geschult. Das ist hinreichend untersucht, sodass niemand in die Illusion verfallen muss, es handle sich um natürliche Gaben der Selbstdarstellung oder der Beredsamkeit. Hier ist alles Kunst, vielmehr künstlich, bis hin zum Schemel, den ihm bei Wahlkampagnen ein Begleiter ans Rednerpult stellt, damit er größer wirkt, und anschließend gleich wieder wegzieht und bis zu den Vorgaben seines Kabinetts, aus welchem Blickwinkel er zu fotografieren ist (»Blickwinkel leichtes Profil / nicht frontal / auf Augenhöhe«), wir kennen die Vertrauen stiftenden Körperhaltungen und die segnenden Gesten, die jeden Kardinal vor Neid erblassen lassen.

Aber in dieser politischen Persona wurde von Anfang an ein politisches Programm sichtbar. Kurz machte nie ein Geheimnis daraus. Das Neue daran war die Entschlossenheit, so ein Konzept durchzuziehen, vollkommen gleichgültig gegenüber persönlichen Rücksichten oder Umständen oder gar Erfordernissen des Anstands.

Diese Entschlossenheit gehört zur kriegerischen Haltung einer Kaste, die Sieg will, nicht Dialog oder Kompromiss. Sie wird im Sport vorexerziert und eingeübt und hat nur ein Ziel: die Niederlage des Gegners, nein, des Feindes. Nicht von ungefähr charakterisierte die Kurz-Truppe intern ihr kritisch gesinnte Medien als »Feindmedien«. Man kennt die Rede auch aus dem Sprachgebrauch von Konzernen, die sich stets »im Krieg« mit anderen befinden, und aus dem Sport, wo »Monstermentalität« massenwirksam eingeübt und gefordert wird.

Wer ist der Feind? Da ist einmal die repräsentative Demokratie, am verachtenswertesten in Gestalt des Sozialstaats. Da ist die Sozialdemokratie. Und das ist, was man im Allgemeinen als den modernen Liberalismus betrachtet, das aufgeklärte Denken der Moderne, die pluralistische Gesellschaft. Warum nenne ich eine höchst aktuelle Figur wie Kurz antimodern? Weil man jene wirtschaftliche Moderne, auf deren Seite er sich geschlagen hat, den neoliberalen Finanzkapitalismus, nicht mehr zur Moderne, sondern zu deren Feinden rechnen muss. Die Interessen der Mächtigen laufen denen der Demokratie zuwider. Der Realkapitalismus ist vom Finanzkapitalismus abgelöst worden. Das bringt ein neues Set von Einstellungen mit sich. Die lange Welle der neoliberalen Propaganda hat diese Einstellungen mit viel Geld und strategischer Ausdauer in der Welt verbreitet; der Sieg des Neoliberalismus hat die einschlägige Mentalität von Business-Schools und Wirtschaftseliten ausgehend so tief ins allgemeine Bewusstsein verankert, dass sich die meisten nicht einmal dessen bewusst sind, im Neoliberalismus zu leben. Das wäre, als hätten Einwohner der Sowjetunion nicht geahnt, dass sie im Kommunismus leben.

Trotz dieser beinahe allgemeinen Verblendung sind in Europa, vor allem in einem Staat wie Österreich, die Beharrungskräfte des Sozialstaats noch längst nicht überwunden.

Neue zivilgesellschaftliche Organisationen stellen sich aber nicht an die Seite des Sozialstaats, vielmehr definieren sie ihre ethischen Vorstellungen identitätspolitisch oder vor dem Horizont des Überlebens der Gattung. Teile dessen, was man einst soziale Bewegungen nannte, sind mit den Grünen unversehens in eine Koalition mit Kräften geraten, die ihren Prinzipen zuwiderlaufen. Die sozialdemokratische Opposition wiederum tut sich immer schwerer, die Glaubwürdigkeit ihres Engagements für Zivilgesellschaft und die unteren Klassen der Gesellschaft darzutun, weil ihre Exponenten selbst in die Finanzwirtschaft streben, als Investoren oder ins Management börsennotierter Gesellschaften. Das sind die einzigen Orte, die ihnen Anerkennung ihrer in der Politik nicht ausreichend gewürdigten Tüchtigkeit zu bieten scheinen. So finden wir einstige Arbeiterführer als Freunde der Oligarchen wieder, erstaunt darüber, dass die Massen nicht mehr ihnen glauben, sondern rechtsextremen Agitatoren, die ihnen ihre alten Parolen gestohlen haben. Oder sie wollen einfach nur an die große Kohle.

Sie alle tun sich schwer, den Widerspruch zu dem zu formulieren, was die Ökonomen Markus Marterbauer und Hannes Schürz in Anknüpfung an die große politische Philosophin Judith Shklar den »Liberalismus der Angst« nennen. Die beiden entwickeln in ihrem Buch »Angst und Angstmacherei« glaubhaft sozialpolitische Perspektiven, aber ihre Partei tut sich schwer, solche Perspektiven kraftvoll zu vertreten. Erstens fehlt meist das theoretische Rüstzeug, zweitens oft die personelle Glaubwürdigkeit. Das liegt weniger daran, dass viele ihrer führenden Exponenten nach der politischen Karriere in den Kapitalismus flohen, sondern daran, dass sie das gleichsam verschämt tun, statt das Konzept eines linken Kapitalismus zu formulieren, ja zu postulieren. Den Gewerkschaften wiederum macht ihr Misstrauen gegen neoliberale Prinzipien eine Unterstützung echt liberaler Initiativen schwer, und sie unterschätzen das Flexibilitäts- und Freiheitsbedürfnis der meisten Menschen. Ihre Schutzfunktion sieht im Neoliberalismus aus wie reine Defensive und wird erst in der Krise attraktiver; politisch offensiv wurde sie nicht.

Keine Angst, wir sind noch bei Sebastian Kurz. Was den Liberalismus der Angst betrifft, genüge die kleine Erinnerung, mit welcher Lust er in der ersten Corona-Phase die damals gewiss notwendige Rolle des scharfen Mahners übernahm und sie im Seitenblick auf die Zustimmung autoritätsgläubiger Klientel übertrieb. Mir persönlich bekannte ältere Menschen am Land trugen einen Schrecken davon, von dem sie sich nicht mehr erholten.

Wir befinden uns in einer großen Auseinandersetzung, in der die prekären Errungenschaften der Demokratie, des Rechts- und Sozialstaats, eine Öffentlichkeit mit freier Meinungsäußerung fundamental angegriffen werden, sichtbar von außen durch Autokratien innerhalb und außerhalb der EU, am beeindruckendsten von China und am grausamsten von Russland. Weniger sichtbar ist der Angriff von innen, von rechts, denn diese Auseinandersetzung findet gleichsam hinter einer Nebelwand statt. Die einen vermögen die Wand nicht zu öffnen, die anderen kämpfen darum, sie möglichst dicht zu gestalten. Nur im Nebel wählen Menschen gegen ihre Interessen.

Als Beispiel für diesen Nebel kann die Auseinandersetzung von *free speech* dienen. Das Problem wurde in der digitalen Welt deswegen groß, weil die digitalen Medien von Anfang an gesetzlich als Plattformen behandelt wurden, das heißt als

Medien in einer rechtsfreien Zone. Die 1996 unter dem fatalen Liberalisierer Bill Clinton beschlossene Section 230 des Communications Decency Act, eines US-Gesetzes gegen Pornografie im Netz, entlastete die digitalen Verbreiter von der Verantwortung für die von ihnen verbreiteten Inhalte. Dies geschah explizit, um den Tech-Konzernen der USA einen globalen Wettbewerbsvorteil gegenüber analogen Medien zu verschaffen. Eine verblendete Linke sah die Gefahren zuerst nicht und betrachtete den Cyberspace als herrschaftsfreien Raum, in dem sie technikgestützt ihre neue kosmopolitische, egalitäre Gesellschaft ausbrüten würde.

Die Desillusionierung war beträchtlich, als sich der herrschaftsfreie Raum doch als von Kapitalinteressen dominiert herausstellte und die Silicon-Valley-Ideologie nicht weltweite Befreiung, sondern bloß radikale Kommerzialisierung der globalen Kommunikation im Sinn hatte und sich als der technische Ausdruck dessen herausstellte, was ökonomisch Neoliberalismus, philosophisch Narzissmus heißt, in der zutreffenden Interpretation von Isolde Charim die Fähigkeit, ohne Zwang zu zwingen. Der Staat hatte die Frage, was in einem Rechtsstaat gesagt werden darf und was nicht, durch seine Regulierung privatisiert. Damit schwächte er sich und überließ die Auseinandersetzung gesellschaftlichen Gruppen, die auf der Linken zur *cancel culture* tendierten und zur Rechten zu einem missbräuchlichen Free-Speech-Radikalismus. (Es gibt auch ernstgemeinten Free-Speech-Radikalismus, wie ihn etwa der Linguist Noam Chomsky vertritt.) So kommt es, um zum Nebel zurückzukehren, dass Leute wie Donald Trump oder Elon Musk sich als Helden der Redefreiheit darstellen können, der schönsten der bürgerlichen Freiheiten, obwohl ihnen der Sinn nach nichts anderem steht, als den Rechtsstaat zurückzudrängen, den Garanten dieser Freiheiten. Er soll ihnen ihre

Steuerprivilegien und ihre fetten Aufträge garantieren, sich aber nicht mit Gesetzen wichtigmachen, die ihr Business behindern. Selbstbestimmungsrecht für »die Wirtschaft« – eine Art Wirtschaftsdemokratie, in der die (Medien-)kapitalbesitzenden über die anderen bestimmen. Autoritärer Kapitalismus, illiberale Demokratie – wie immer man es nennen mag.

Meinungsfreiheit auf Europäisch und Rechtsstaatlich bedeutet, die Grenzen dieser Redefreiheit frei und mühelos einklagen zu können. Diese Grenze ist das Gesetz; durch die auch von Progressiven verteidigte Nicht-Auffindbarkeit von Sprechenden im Netz, die Anonymität, lässt sich dieses Gesetz nur unter Mühen durchsetzen, die nicht alle auf sich nehmen können. Es ist also nicht mehr allgemein gültig. Proteste gegen diesen Zustand haben dazu geführt, dass das Regime der Selbstkontrolle, für die Presse nach ähnlichen Protesten in den USA der 1940er Jahre eingeführt, von den Social-Media-Konzernen wenigstens andeutungsweise angewendet wird. Dies bleibt fragwürdig, weil Selbstkontrolle der Willkür der Konzerne überlassen wird und über ihr nicht die reinigende Drohung des allgemeinen Zugangs zum Recht steht, der das jeweilige Medium zuvorkommen will, und sei es nur, um Schaden von sich abzuwenden. Es ist Willkür, einem Lügner die Öffentlichkeit zu entziehen, wenn er nichts Gesetzwidriges tut, ebenso wie es Willkür ist, einen Lügner vor dem Zugriff des Gesetzes zu schützen, wenn er anderen Nachteile zufügt.

Die Willkür der Tech-Konzerne führt zur Dominanz der politischen Lüge. Oder führte die Lüge zur Willkür? Nun ist es weder neu, dass in der Politik gelogen wird, noch sind Lügen gesetzlich verboten. Allerdings sind sie verboten, wenn sie jemandem die Ehre abschneiden, ihm den Ruf schädigen oder im Wettbewerb schaden. Der rechtsextreme US-amerikanische Publizist Alex Jones musste nach einer Klage Konkurs erklären; er hatte über ein Hochschulmassaker gelogen, die Eltern eines Opfers hatten ihn geklagt. Sender wie Fox News stellten ihre Lügen, die Wahl Trumps sei gestohlen worden, blitzartig ein, als die Wahlautomaten produzierende Firma sie mit Klagen in Milliardenhöhe eindeckte.

Die Lüge wurde zum Mittel rechtsextremer Propaganda. Die von Milliardären finanzierten Medien der Alt-Right, wie das vom notorischen Steve Bannon (»Flood the zone with shit«) geleitete Portal Breitbart, verunsicherten die Öffentlichkeit mit Desinformation. Dass ihre politischen Gegenspieler diesbezüglich nicht unschuldig sind, versteht sich; Joe Biden und sein Sohn Hunter sind keine Heiligen, wie die Affäre um den gefundenen Laptop Hunters zeigt, die bis jetzt einigermaßen aus der Öffentlichkeit weggeschwindelt wurde. Aber die Wucht der Lügen der Rechten, angeführt von Donald Trump, den Medien des Tycoons Rupert Murdoch und der digitalen Alt-Right-Publizistik, war nicht nur überwältigend, sondern systematisch.

Das Auffälligste und Neue an Trump war, dass er im Unterschied zur Konkurrenz und seinen Vorgängern unbekümmert log. Im Wissen, dass es seinen Anhängern egal war, ob stimmte, was er sagte oder nicht, weil sie es einfach glaubten, log er gänzlich ungeniert und lügt bis heute fort. Von seiner größten Lüge, die Wahl sei ihm gestohlen worden, rückt er nach wie vor nicht ab.

Dieses unverschämte, rücksichtslose Lügenprinzip in Österreich heimisch zu machen, das war die größte Tat des Sebastian Kurz. Es begann mit der Fabrikation seiner Unwiderstehlichkeit mit gefälschten Umfragen und setzte sich fort bis zur frommen Lüge, er sei abgetreten, weil er sich seiner Familie widmen wolle.

Durchgehend zeigte er die geforderte Monstermentalität.

Diese Mentalität stellt die Erlangung und den Erhalt der Macht über die Geltung allgemeiner Regeln. Demokratie beruht auf der Annahme, dass Dinge im öffentlichen Diskurs so erörtert werden, dass alle eine Chance haben, sich unvoreingenommen ihre Meinung zu bilden. Eine Fiktion, gewiss, doch ist die Demokratie insgesamt eine Fiktion, die auf solchen Annahmen beruht. Ein gewisses Maß an Selbstkontrolle, Selbstbegrenzung, ja Anstand ist notwendig, sollen die demokratische Arena und ihre Institutionen funktionieren.

Werden die Spielregeln missachtet, führt das zum Diktat der Stärkeren. Man mag die österreichische Version des *disrupter*, des *puer robustus*, des starken Mannes nicht als die erkannt haben, die sie war, weil sie in Mariazell im Trachtenjanker posierte, sich mit akkurat beachteter Tiefenschärfe und Farbgebung im Altersheim oder im traulichen Alpinistengewand beim Durchstreifen des Gebirgs fotografieren ließ. Aber sie funktionierte nach dem Prinzip, unsere Werte stehen höher als die der anderen. Wir erringen die Hegemonie nicht mit besseren Argumenten, sondern mit Gewalt, mit dem Brechen von Regeln, mit Lügen, mit Schwindel.

Das sind etwas härtere Worte für das, was euphorisch mit Message-Control beschrieben wird. Diese kämpfte nicht nur an der Front der Botschaften, sie zerstörte auch die Medienlandschaft nachhaltig. Nämlich dadurch, dass sie den korruptesten Boulevard ausgiebig finanzierte; dadurch, dass sie den öffentlich-rechtlichen Rundfunk zu ruinieren versuchte (nur Ibiza hatte dabei einen verzögernden Effekt); dadurch, dass sie das Privatfernsehen reich alimentierte (zufällig ist Antonella Mei-Pochtler Aufsichtsrätin bei der ProSiebenSat.1-Gruppe); dadurch, dass sie Feindmedien austrocknete. Die Gleichschaltung der Medien war das Ziel des Kurz-Regimes, erklärte sein Parteigenosse und Vorgänger Reinhold Mitterlehner im

Untersuchungsausschuss. Mit dem Mann, der in einem Chat mit dem ORF-Feind Heinz-Christian Strache von lauter »roten Zecken« im ORF redete, dem Investor Alexander Schütz, ist Kurz nun geschäftlich verpartnert.

Wie ein Satyrspiel muten die gegenseitigen Bezichtigungen von Sebastian Kurz und Thomas Schmid an, die sich in einem von Kurz aufgezeichneten und zum Zweck seiner Entlastung von den Inseratenkorruptionsvorwürfen geführten Telefonat mit Schmid zu einem Vortext gegenseitigen Schwindelns aufbauten, denn Schmid hatte die Absicht des Anrufers erfasst, sodass das Publikum, dem dieser denkwürdige Lügnerdialog sogleich übermittelt wurde, vor der alten Frage stand, ob es dem Kreter glauben soll, der behauptet, dass alle Kreter lügen. Was man bekanntlich damit beantwortet, dass man sich auf die Metaebene zurückzieht und die beiden Kreter von außen betrachtet.

Aus dieser Perspektive versteht man, dass Lügen einerseits dazu dient, das bestehende System zu kippen, und andererseits nur eine Form ist, die Aufmerksamkeit zu steigern. Beides trifft idealtypisch bei dem neuen Twitter-Besitzer Elon Musk zusammen. Er strebt mit der Wiederzulassung des von der Selbstkontrolle ausgeschlossenen Trump und seinem ostentativ disruptiven Gebaren drei Dinge an: erstens als kommunikative Kraft zu mächtig zu werden, um reguliert werden zu können; zweitens den bisher bei aller systemisch angelegten Toxizität doch auch diskursiv orientiertem Mikrobloggingdienst Twitter zu einer kompletten Cloud-App zu machen, digitale Kontrolle, Datenanhäufung und Steuerung des Publikums zwecks Erhöhung von Profit und Macht inklusive; und drittens das Ziel aller Nebel- und Lügenpolitik, bei allem gegenteiligen Gerede über unternehmerische Tugenden und Risikofreude vom Staat massive Aufträge und Subventionen zu lukrieren und gleichzeitig Vermögenssteuern zu vermeiden oder zu minimieren.

Das Business heißt Überwachungskapitalismus oder Cloud-Kapitalismus. Das klingt etwas wolkig-unverbindlich, aber man kann schön beschreiben, was Kurz mit ihm verbindet. Es wurde oft bemerkt, dass der Cloud-Kapitalismus einige Wunder vollbringt. Zum einen veranlasst er uns dazu, kostenlos zu arbeiten, zum anderen, dass er in uns Begierden nach Dingen erweckt, die wir drittens dort, in der Cloud, gleich haben und kaufen und auch bezahlen wollen, wofür wir nicht nur mit Geld, sondern auch mit unseren Daten bezahlen. Das vierte Wunder aber besteht darin, all das nicht zu sehen und die Vorgänge auf der individualpsychologischen Ebene zu belassen. So ist das Interessante an der politischen Persona Kurz weniger die Tatsache, dass sein Erfolg auch auf gekonntem digitalen Marketing beruhte, was bis zu ihm eine Domäne der FPÖ war (in kürzester Zeit hatte er mehr Follower auf Facebook als sein rechtsextremer Konkurrent Strache); viel interessanter sind die Wurzeln seines radikal disruptiven Handelns.

Er rückte es nie in den Vordergrund, und auch seine Kritiker brachten selten die Fäden zusammen. Manche wurden erst nach dem Ende seiner politischen Laufbahn sichtbar. Aber die Kontakte zum neoliberalen und cloudorientierten Kapital entstanden von Anfang an durch seine Chefberaterin Mei-Pochtler. Sie war nicht nur im weltweiten Executive Committee der Boston Consulting Group, sie leitete auch die Stabstelle für Strategie, Analyse und Planung im Kanzleramt, verantwortlich für Österreichs »Digitalisierungsstrategie« (im Beirat neben anderen: Wirecard-Chef Markus Braun), sie verhandelte in der ersten Koalition »Wirtschaft und Entbürokratisierung«, und sie vermittelte gemeinsam mit ihrem Mann, dem Industriellen Christian Pochtler (seit 2020 ebenfalls Aufsichtsrat in einem

ÖBAG-Unternehmen) für Kurz Kontakte zu mächtigen Männern der Cloud-Industrie wie dem ehemaligen Google-Chef Eric Schmidt, auf deren Einladung Kurz in den USA Veranstaltungen und Seminare besuchte.

Dass Kurz sofort nach Ende seiner Tätigkeit im Kanzleramt einen Job bei Peter Thiel erhielt, darf man wohl ebenfalls mit solchen Kontakten erklären. Thiel war der erste offen mit dem rechten Flügel der Republikaner sympathisierende Silicon-Valley-Tycoon, er beriet auch Donald Trump und präsentiert sich als Intellektueller der Neuen Rechten. Er ist nicht nur vom französischen Kulturkritiker René Girard und dessen Mimesis-Theorie beeinflusst, er ist vielmehr ein bekennender Straussianer. Auf den Philosophen Leo Strauss (1899 bis 1973) berufen sich Generationen der denkenden US-amerikanischen Rechten, Neocons und Kriegstreiber. Rechtsplatoniker und in der Nachfolge von Carl Schmitt stehend, vertritt Strauss eine radikal antiaufklärerische Haltung. Einer von Thiels berühmtesten und am seltensten gelesenen Essays trägt den Titel »The Straussian Moment«. Auch wenn Thiel darin, unmittelbar nach 9/11, gegen die Anwendung von Gewalt plädiert, nennt er das Ziel der postmodernen Welt unmissverständlich: »The peace of the kingdom of God.« Der Weg dorthin ist klar: »Es kann kein wirkliches Übereinkommen mit der Aufklärung geben, denn zu viele ihrer Binsenweisheiten haben sich in unserer Zeit als tödliche Lügen erwiesen.«

Neben seiner Tätigkeit bei Thiel Capital agiert Kurz auch als Investor. Eine seiner ersten Aktivitäten war die Gründung einer Firma namens »Dream Security« gemeinsam mit dem ehemaligen Leiter der israelischen Firma NSO, berüchtigt für die Spionagesoftware Pegasus. Geschäftszweck des Kurz-Unternehmens ist »Cyber-Security«. Das passt recht gut zu den Aktivitäten Thiels, dessen Big-Data-Firma Palantir Technologies nicht nur für Hedge-Fonds und Banken arbeitet, sondern vor allem für das US-Verteidigungsministerium.

Bei einem Teil der US-amerikanischen Rechten ist das Verhältnis zu den Evangelikalen anders als bei Donald Trump nicht nur instrumentelles Zweckbündnis. Fundamentalismus und Neoliberalismus gehen sehr gut zusammen, und Peter Thiel ist dafür ein prominentes Beispiel. Auf fundamentalere Art wird hier die platte ökonomische Maxime des Friedrich August von Hayek überhöht, die Wolfgang Schüssel, Kurz' Vorläufer und Berater im Hintergrund, mit dem Slogen »Mehr privat, weniger Staat« unübertroffen trivialisiert hatte. An neoliberalen Beratern und Mitarbeitern herrschte bei Kurz kein Mangel. Franz Schellhorn, der Leiter des industriefinanzierten Instituts Agenda Austria, beriet ihn wirtschaftspolitisch; der stellvertretende Kabinettschef Markus Gstöttner kam vom Beratermulti McKinsey.

Im österreichischen Sandkistenformat erstaunt es nun weniger, dass ein Fundamentalismus-Sympathisant wie Bernhard Bonelli, ausgebildet im Reich Mei-Pochtlers bei Boston Consulting, das Kabinett von Kurz leitete. Es nimmt nun weniger wunder, dass Nationalratspräsident Wolfgang Sobotka Gebetsstunden im Parlament abhalten lässt. Und das evangelikale Weihespiel von Sebastian Kurz in der Stadthalle bekommt einen Sinn.

Das antiaufklärerische Revirement fundamentalistischer Religion ist in Österreich mit dem Rücktritt verschiedener von Papst Johannes Paul II. ernannter Kardinäle und Bischöfe einer moderneren Kirche gewichen. Aber in Europa kamen zur gleichen Zeit Regimes mit reaktionär-klerikalen Anliegen auf: Polen und Ungarn machten die »illiberale Demokratie« zum Schlagwort. Vor allem die Freundschaft von Kurz zum Orbán-Regime war von Anfang an nicht zu übersehen. Seine Politik in der EU rückte Österreich ein Stück ostwärts. Ein Nebeneffekt einer trumpistischen Politik der amerikanischen Rechten, der eine starke, geschlossene EU als Konkurrent ein Dorn im Auge ist und die den Brexit aus diesem Grund mitinszenierte? Man erinnert sich, dass Kurz sich ungeniert zu den politischen Ideen der Brexiteers bekannte.

Daraus bestand die Kurz'sche Politik: Privatisierung und Gleichschaltung der Medien, Renationalisierung Europas im Sinn einer illiberalen Demokratie und antieuropäischer Interessen und Umverteilung nach oben. Das alles hinter der medientechnisch ausgepichten Fassade des netten und anständigen Mannes von nebenan. Die Persona Kurz ist eine Nebelfigur erster Klasse, ein höflicher Rüpel, versiert in der Kunst, alles perfekt auszusprechen und dahinter ganz anderes zu verbergen. Niemals die Contenance zu verlieren und auf scheinbar unerschütterlich nette Weise die Gegner gnadenlos mit allen Mitteln niedermachen. Er war nicht nur ein Fabrikant schönen Scheins. Er hat ein Land beschissen, seine eigene Partei beschissen, die Medien, die er mit Staatsknete zuschiss, die Kirche, die ihm paraevangelikal huldigte, das Parlament, das er diskreditierte, die Justiz, die er instrumentalisierte, die Staatsanwaltschaft, die er attackierte – sie alle sehen den Saubermann nun als einen dastehen, der anpatzte: sich selbst und ein ganzes Land mit ihm.

5. RETTE MICH, WER KANN

Ich schaue beim Fenster hinaus auf den Park. Hier waren, anders als in der Politik in den vergangenen Jahren, keine Stürme zu beklagen; nur anhaltend starker Wind. Die abgebrochenen Äste konnten entsorgt werden. Der Abfall wird pünktlich abgeholt, die Feuerwehr hält zusammen, auf die Autowerkstatt kann ich mich verlassen, die Korruption bleibt überschaubar. Noch gelingt es, ordentliches Brennholz für den Winter zu bekommen, obwohl der geschätzte Lieferant in Pension gegangen ist. Die Speisetrauben wuchsen im Waldviertel dieses Jahr besonders gut. Die Rehgeiß geht ihrer Wege. Die Falken, sonst immer herrisch vom Turm Ausschau haltend, haben sich in die Bäume verzogen.

Zwei Protagonisten eines Desasters wurden besichtigt. Wurde durch den Abgang von Sebastian Kurz etwas besser? Die Stimmen der Opposition schwellen an, gleichviel welche Kasperlfiguren lärmen und kreischen. Die Stimme der Opposition ist rechtsextrem, seit Jahrzehnten. Warum kann eine linke Opposition sich nicht populär artikulieren? Liegt es am Personal, am Konzept, am Anstand? Gibt es Rettung? Wo bleibt das Konstruktive? In diesem abschließenden Kapitel kommt es.

Die Zeit ist kriegsvergiftet, Myriaden von Giftzwergen arbeiten an ihrem Ausdruck. Toxisch ist ein Modewort, aber der Detox will nicht gelingen; im Gegenteil, die Entgifter arbeiten mit zu großen Dosen Gegengift. Nehmen Sie nur mich: Satire und Polemik ja, aber wo bleibt die höhere Bedeutung? Gift gegen Gift, da kann sich kein Dialog gestalten. Dabei käme es doch gerade darauf an.

Und vielleicht auf Anstand. In der Anstandsliteratur sind wir vor der Aufklärung stehen geblieben. Das »Handorakel und Kunst der Weltklugheit« von 1647 des Baltasar Gracián, dieses schlauen Jesuiten, der die politischen Schriften des hundertfünfzig Jahre früheren Niccolò Machiavelli auf private Anleitungen herunterbrach, bestimmt die gängigen Konzepte von politischem Anstand (Wolfgang Schüssel, Sebastian Kurz' Lehrmeister, gab gern zu Protokoll, das »Handorakel« sei seine Lieblingslektüre). Alles Handeln, das private wie das politische, halte man solchen Anleitungen zufolge frei von Moral. Alles in diesem Büchlein ist Krieg, alles ist auf Unterwerfung des anderen aus. Man lernt, der Zweck heilige die Mittel, zur Sicherung der Herrschaft sei jedes Mittel recht. Auch der große Francis Bacon empfahl den Betrug, wenn er nur zum Erfolg führt.

Die Aufklärung hat vergebens versucht, die böswillige Selbstsucht und die »kleinen Künste der Weltklugheit« solcher menschenfeindlicher Handlungsanleitungen durch eine »innere Höflichkeit des Herzens« zu ersetzen, das sich am »allgemeinen Wohlwollen« orientiert, wie das John Locke ausdrückte. Daraus wurde nichts, und noch weniger wurde aus der Radikalität Jean-Jacques Rousseaus, der in Anstand und Benehmen nur Konventionen sah, die zu allem Übel führten. Im Zweifel halte ich mich an Kant und dessen erwähnte nüchterne Annahme, das Simulieren moralisch akzeptablen Benehmens verhindere wenigstens unmoralisches Verhalten. Unsere Politiker schöpfen ohnehin aus anderen Quellen.

Die US-amerikanische, russischstämmige Autorin Ayn Rand steht in der Reihe der neobarocken Handlungsanweisenden. Diese Mutter aller neueren kapitalistischen Mentalitäten betrachtete Kant als »den bösesten Menschen der Geschichte«, weil er das allgemeine Wohl über den Eigennutz stellte. In den österreichischen Kleinausprägungen dieser Mentalität paaren sich solche im Silicon Valley und an der Wall Street populäre Ideologien mit den feudalen Rückständen von Jahrhunderten Habsburgerherrschaft – beides, so darf man annehmen, halb erkannt und ganz verschwiegen, aber umso wirksamer.

So sieht heute ein österreichisches Kabinett aus: durchzogen von Rand-basiertem Consulterzeug, neoliberal gestimmt, gegenaufklärerisch gesonnen und bei alledem sich modern fühlend. Damit kann man vielleicht eine Firma führen, aber keinen Staat. Zu Recht beklagen österreichische Spitzenbeamte (und auch ich, in jedem Österreichbuch aufs Neue) den Verlust der großen Tradition des josephinischen Beamten. Die Türkislinge haben alles getan, diesen Staat abzumontieren und Verhaltens- und Verwaltungswissen zu zerstören. Die Zerstörung des Staates durch Privatisierung und externe Berater war keine Antwort auf überbordende Bürokratie und übermütig gewordene Parteiapparate. Vielmehr braucht es den Neuaufbau des Staates. Und dazu bedarf es einer neuen Legitimation des Öffentlichen, des allgemeinen Wohls. Die Krisen und der Krieg zeigen, wie nötig das ist, mehr denn je. Es geht nicht anders, als den Traktor beim Fahren zu reparieren. Doch kann sich die Gesellschaft als Ganze den Versuch nicht ersparen, sich und den Staat neu zu denken. Die öffentliche Sphäre ist von Leuten durchsetzt, die gegen die Interessen der Allgemeinheit agieren. Der Privatisierung von allem muss Einhalt geboten werden. Sie zielt, wie unsere kleinen, giftigen politischen Protagonisten, unweigerlich aufs Illiberale, auf den autoritären Staat, auf die Demokratie ohne Demokraten.

Corona verschärfte die Lage in einer vergifteten Öffentlichkeit noch einmal. Die Pandemie schockierte die Gesellschaft und unterbrach die scheinbar reibungslos vonstattengehende Abwicklung des Sozialstaats. In Norditalien, wo die neoliberale Austrocknung des öffentlichen Gesundheitswesens fortgeschritten war, zeigten sich schockierende Zustände. In Österreich, wo zwar das Sozialministerium verstümmelt war, wo die Länderambitionen einheitliche Kommunikation erschwerten und die kommunikative Gewinnsucht der Türkisen jede offene Rede sabotierte, funktionierten immerhin die Notfallambulanzen, die Ärzte und die Spitäler. Im Schockzustand wurden autoritäre Ambitionen sichtbar. Diesen Ambitionen opferte Kanzler Kurz den Aufbau einer sinnvollen Informationsstrategie; mit seiner Glaubwürdigkeit schwand auch die Glaubwürdigkeit wissenschaftlicher Argumente. Indem sie beliebig schienen, erschienen sie als Funktion von Politik. Schockartig zeigte sich bei Corona, wie weit die Wühlarbeit der digitalen rechten Öffentlichkeit bereits die Grundlagen liberaler Gesellschaften angenagt hatte: Es stellte sich die Wahrheitsfrage. Wissenschaft wurde als bloße Meinung unter anderen deklariert. Im Fall von Corona ging das besonders leicht, da die Wissenschaft selbst sich dieses weitgehend unerforschten Virus erst schrittweise vergewissern musste und diese Unsicherheit fairerweise öffentlich kommunizierte. Das öffnete Scharlatanen und Medien Möglichkeiten.

Das Problem schien einfach, aber der Journalismus tat sich schwer, in Bezug auf das Meinunghaben zurückzustecken. Er erkannte selten genug, dass die Seuche auch sein eigenes Problem aufdeckte. Das berechtigte Fragen nach allem, was man nicht weiß, wird nämlich in dem Moment selbst zur Lüge, an dem es auf eine Art stattfindet, welche die Grenzen eines anderen Systems nicht erkennt und respektiert und versucht, dieses System unter sein eigenes Gesetz zu zwingen, unter das der Aufmerksamkeitssteigerung. Dabei vernachlässigt es das zweite Gesetz, unter dem Journalismus ebenfalls steht, nämlich sich mit seinen eigenen etablierten Verfahren an die

Wahrheit anzunähern. Der journalistische Anstand erforderte es bei Corona, innezuhalten, sich zurückzunehmen, zu sagen, dass man nichts weiß, und anderen, der Wissenschaft, den Vortritt zu lassen, statt das eigene Nichtwissen im Gestus forschen, aufdeckenden Fragens und kesser Thesen verschwinden zu lassen. Die große Unsicherheit setzte ein. »Woher wissen wir, was wahr ist?«, lautete die Frage der Stunde.

Die amerikanischen pragmatischen Philosophen Charles Peirce und John Dewey definieren Wahrheit so: »Die Meinung, der letztendlich alle, die in der Forschung einbezogen sind, zustimmen, ist, was wir die Wahrheit nennen, und das Objekt, das von dieser Meinung repräsentiert wird, ist das Wirkliche.« Der Philosoph Richard Rorty ergänzt, dass »Begründungen der Wahrheit relativ zu einer Hörerschaft« zu sehen seien – das heißt also, die Begründung einer medizinischen Erkenntnis kann nur in Beziehung zu den Kenntnissen ihrer Fachhörerschaft stehen.

Wahrheitsfindung ist ein unabschließbarer Prozess, der uns verbietet, Vernunftwahrheiten (gewisse Bereiche von Logik und Mathematik) im Sinn Hannah Arendts und der Aufklärung als unumstößliche, abgeschlossene Wahrheiten anzunehmen. Weil die Feststellung der Vernunftwahrheit (mit wenigen Ausnahmen) selbst weder abgeschlossen noch ewig gültig ist, kommen mitunter Vernunftwahrheiten mit dem Anschein daher, als wären auch sie bloß eine Meinung. Bedenken wir die Einflüsse, die Macht und Geld auf Wissenschaft haben, können wir ermessen, wie wichtig es ist, diesen Raum der Vernunft möglichst frei davon zu halten. Damit die ideale Hörerschaft des wissenschaftlich gebildeten Publikums seine Urteile bilden kann, die wir dann als den Stand der Wahrheit akzeptieren.

Meinungen sind mehr oder weniger gut begründete Vorurteile, die wir uns abseits wissenschaftlicher Kriterien der

Verifizierung oder Falsifizierung von Fakten bilden. Wenden wir unsere Meinung – samt Interessen und Leidenschaften – auf den streng regulierten Prozess der Wissenschaft an, vermischen wir zwei Ebenen, sich der Realität zu vergewissern, und entwerten beide: Wir haben dann am Ende nichts mehr, was wir für wahr halten. Ein fataler Zustand, auf dem sich keine gesellschaftliche Kommunikation gründen oder aufrechterhalten lässt.

Ich versuchte mich diesem Dilemma zu entziehen, indem ich dem klinischen Epidemiologen Robert Zangerle von der Med Uni Innsbruck das Wort überließ. Er berichtete in mehr als 150 der insgesamt mehr als tausend Seuchenkolumnen, skeptisch und mit Zweifeln nicht zurückhaltend, aber immer am Fortschritt der wissenschaftlichen Erkenntnis und an den sozialen Folgen epidemiologischen Handelns interessiert, über den Stand der Corona-Dinge. Ich verzichtete auf jede journalistische Zuspitzung; das war auch seine Bedingung. Damit sollte sichtbar werden, dass aus dem erwähnten wissenschaftlichen Prozess heraus berichtet wird und dass dieser Bericht versucht, sich aus dem journalistischen Meinungsstreit herauszunehmen und innerhalb des wissenschaftlichen Systems zu bleiben.

Der Verlust leichter Lesbarkeit war in Kauf zu nehmen. Die Wirkung, meinten Zangerle und ich, dürfe nicht darin bestehen, den Inhalt zurechtzustutzen, aufzuputzen und für irgendwelche Zwecke zu instrumentalisieren, sei es für Publikation oder Politik. Nur ein hochentwickelter Wissenschaftsjournalismus böte einen Ausweg; den hat die österreichische Publizistik mit wenigen Ausnahmen nicht entwickelt.

Krieg! Er ist allgegenwärtig. Nicht nur jener in der Ukraine. An dem beklage ich, dass selbst bei Menschen, die mir vernünftig erscheinen, die selbstverständliche Parteinahme gegen den Bösewicht Wladimir Putin in einen bedingungslosen

Manichäismus kippte. Der Krieg aller gegen alle, der in einer durch die sozialen Netzwerke neu deformierten Öffentlichkeit tobt, schien skeptische Stellungnahmen nicht zu gestatten. Auch mir nicht, der ich es trotzdem mit wenig Erfolg und viel Zuspruch versuchte. Ich konnte die Erinnerung an Karl Kraus nicht abweisen, der (lange vor jeder digitalen Toxizität, ihm reichte das Gift der Phrase) nach dem Ausbruch des Ersten Weltkriegs schrieb: »Wer jetzt etwas zu sagen hat, der trete vor und schweige.« Weiter sind wir nicht gekommen.

Oder Quantensprünge weiter. Der Krieg ist teilprivatisiert; private Söldnerheere agieren auf beiden Seiten des Konflikts. Spionagesoftware ist nicht nur in den Händen der Militärs, sondern auch in den Händen von Silicon-Valley-Tycoons. Elon Musk besitzt mehr Satelliten als alle anderen Länder der Erde zusammen, die USA inklusive. Mitten im Ukraine-Krieg dachte er darüber nach, die Kosten für die Aufrechterhaltung der kommunikativen Infrastruktur der Ukraine nicht mehr selbst zu bezahlen. Eine Unverfrorenheit in Anbetracht dessen, dass ihm die USA diese Satellitenprogramme mit hohen Auftragssummen finanziert hatten. Man kann davon ausgehen, dass die Unterstützung aller Kriege nicht mehr nur konventionell *embedded*, sondern algorithmengesteuert vonstattengeht, ihre Propaganda sowieso. Die traditionellen Kriegsberichterstatter wirken, verglichen mit den polierten Propagandavideos von allen Seiten, in den TV-Nachrichten wie Versatzstücke aus einer anderen Zeit.

»Techno-Optimismus passt gut zur Militarisierung«, zu der jetzt allseits gerufen wird. »Es ist die Vorstellung, dass wissenschaftliche und technische Innovationen letztendlich komplexe soziale, wirtschaftliche und ökologische Probleme lösen werden. [...] Diese Geschichte ist weitgehend aus dem öffentlichen Bewusstsein getilgt worden. Doch trotz dieser gesellschaftlichen Amnesie ist es wichtig, sich daran zu erinnern, dass das Internet nicht völlig vom militärisch-industriellen Komplex Amerikas losgelöst werden kann, unter anderem, weil das Pentagon es geschaffen hat. Diese Tatsache kann uns helfen, zu verstehen, warum Big Data – einschließlich Big Data aus den sozialen Medien – so leicht als Waffe eingesetzt werden kann«, schreibt der US-amerikanische Anthropologe Roberto Gonzalez.

Die Datenmengen erhalten in Kriegen einen neuen Zweck: Soziales Radar ermöglicht es Armeespezialisten, Unruheherde zu identifizieren, ihre Bewohner zu klassifizieren und mit Drohnen zu eliminieren. Ob Krieg oder Kommerz, das Ziel der Überwachungskapitalisten hat einer von ihnen deutlich genug formuliert: »Es geht darum, in die Herzen und den Verstand der Menschen hineinzusehen.« Man denkt, wenn von sozialem Radar die Rede ist, an China; aber das Pentagon kann es genauso gut. Der Anstoß, daten- und computergestützte Systeme zu sozialen Voraussagen zu verwenden, kam schon vor fünfzig Jahren, übrigens von der Rand-Corporation.

Der Einfluss solcher militärischer Entwicklungen auf die Kommunikation ist bekannt, aber vielleicht nicht ausreichend. Militärs untersuchen zum Beispiel mit Hilfe von Epidemiologie, wie sich Ideen virengleich über soziale Netzwerke wie Twitter verbreiten. Die technikgesteuerte Gesellschaft ist ein Ideal rechter Konzernchefs und des Militärs. Das pandemische Zeitalter und jenes von Big Data haben ihre Parallelen. Wir werden durch die Infrastruktur unserer Kommunikation amerikanisiert, militarisiert und kommerzialisiert; es geht gar nicht anders, weil das digitale Medium wie jedes andere unsere Kommunikation und unser Denken trägt und formt. Nur wirkungsvoller und massiver als jedes andere Medium bisher. Desinformative Message-Control ist vielleicht die alpine Variante dieses Technooptimismus. Nicht von ungefähr drängt Kurz mit Investments in den Überwachungskapitalismus.

Man muss eine Krise immer von mehreren Seiten sehen. In der digitalen Kommunikation existiert Böses ebenso wie ein Wille zur Wahrheit. Da ist – von Wikipedia abwärts – nicht nur Herrschaftswille, sondern auch Freiheitswille. Daran wäre anzuknüpfen, will man kommunikative Toxizität bekämpfen. Darum geht es mir zuerst. Alle spüren die Unhaltbarkeit einer zur Kommunikation unfähigen Gesellschaft. Keiner hat den Mut, einen vernünftigen Schritt zur Reparatur zu setzen. Nämlich in der Struktur der Kommunikation selbst. Die Mittel heißen Medienpolitik und gesellschaftlicher Diskurs.

Wie soll das gehen? Indem wir politisch eine eigenständige europäische Position formulieren (Sozialstaat, Rechtsstaat, individuelle Freiheiten statt des Primats von Wirtschaft und Big Business). Indem wir in dieser Position eigenständige Ansätze verteidigen; dazu gehört, den Kampf um die Öffentlichkeit, um die Medien öffentlich zu machen. Das scheint im großen Maßstab unmöglich zu sein und im kleinen österreichischen hoffnungslos. *Spes contra spem,* nur um der Hoffungslosen willen ist uns die Hoffnung gegeben. Warum soll nicht Österreich, warum nicht Europa, warum nicht die EU der archimedische Punkt werden, von dem aus sich der Giftbetrieb aus den Angeln heben lässt? Das ist nicht nur eine Frage der Macht. In den USA sind demokratische, sozialstaatliche Tendenzen nach wie vor vorhanden, wenn auch im Vergleich zu Zeiten des New Deal oder der Great Society in die Defensive gedrängt. Weltweit sehnt man sich trotz Vorherrschaft der Oligarchien und der autoritären Regimes nach demokratischen Prinzipien, von China bis Lateinamerika, vom Iran bis in die Philippinen hört man den Ruf nach demokratischer Öffentlichkeit. Wir müssen also versuchen, dieses Prinzip gegen die Konzerne durchzusetzen, die nur Daten sammeln, um unser Verhalten vorauszusagen und zu beeinflussen. Wollen wir das erreichen, müssen wir aufklären und solche Dinge offen aussprechen. Die Kurz-Jahre haben uns auf diesem Weg zurückgeworfen; weit waren wir nie.

Ja, Staat bauen, Öffentlichkeit herstellen, das sind Utopien, die sogleich die Häme der Rechten provozieren. Habermasianismus ist das Mindeste, das einem dann vorgeworfen wird. Der große Alte ist gegen seine eigene Öffentlichkeitstheorie längst skeptisch geworden. Viele Denker teilen diese Skepsis. Das Monster Öffentlichkeit ist nicht mehr, was es zu seinem klassischen Beginn zu sein versprach: die Grundlage der Demokratie, wo das Wunder geschieht, dass alle mit einer gleichwertigen Stimme sprechen, in einem gleichberechtigten Chordialog. Hannah Arendt hat dieses Ideal mit geradezu griechischer Schönheit gemalt. Aber es hat sich umgekehrt. Öffentlichkeit ist heute jener Ort, wo keine Stimme gleich viel wert ist wie eine andere. Die Social Media schildern das mit erfreulicher Direktheit aus, nämlich quantitativ.

Deswegen ist der Klientelismus dort so ekelhaft, weil er auf das Gleichheitsversprechen abhebt, auf dem alle Werte beruhen: Menschenrechte, Gerechtigkeit und so weiter, und es zugleich mit Füßen tritt. Die Schwierigkeit, unter, sagen wir einmal, parademokratischen Zuständen doch das Ideal der nach Gleichheit strebenden Herrschaftsform der Demokratie zu verteidigen, wird nicht geringer. Soll ich sie deswegen aufgeben? Ich denke nicht daran.

Ich muss mir bewusst machen, was vorgeht. Nicht nur der Gleichheitsgrundsatz ist ramponiert. Wenn Journalisten sich auf Social Media bewegen, und das müssen sie, weil diese ja Öffentlichkeit darstellen, dann haben sie nicht nur abzuwägen: Soll ich mit meiner guten Arbeit den Baby-Ubu Elon

Musk unterstützen, nur weil das meinen eigenen Aufmerksamkeitswert erhöht? Sie müssen auch bedenken, was mit ihnen geschehen ist. Guter Journalismus zeichnet sich dadurch aus, dass er sich von Interessen abschirmt, von kommerziellen zumal. Sinnbild dafür ist die bestehende Grenze zwischen Werbungsverkauf und Redaktion. Diese Grenze ist auf den Social Media verschwunden. Jeder kämpft für sich allein, jeder wirbt für sich allein. Mit allem, was er sagt, betreibt er zugleich sein eigenes Geschäft (und selbstverständlich das der anderen, die ihm diesen Raum leihen). Die alte, heilige Grenze ist damit abgeschafft; er ist zur Werbeabteilung seiner selbst geworden. Man kann losgelöste Individuen besichtigen, die sich jetzt ungehindert als Waren entfalten und zugleich als Kritiker radikalisieren. Sie kommen sich vor wie Freiheitskämpfer und agieren wie Blockwarte. Differenzierte politische Diskussionen sind ad acta gelegt und durch Bezichtigungen ersetzt oder eben durch massive digitale Beeinflussungen.

Es gibt also ausreichend Gründe, nach einem sozialen Medium zu suchen, das solchen kommerziellen Zwängen enthoben wäre. Dass die öffentlich-rechtlichen TV-Anstalten das nicht sehen, dass nicht die EU das erkennt, dass die europäischen Parlamente nicht alles daran setzen, hier Kapital zu organisieren und Kräfte zu bündeln, in einem Aufwand, der jenen der Versorgung mit Gas und Öl noch übertrifft, kann ich mir nur damit erklären, dass alle infiziert sind, blind gemacht, gleichgültig für die autoritäre Ära, auf die wir zusteuern.

Nur eine Demokratie, die zumindest in gewissen Öffentlichkeiten sich über sich selbst in kritischer und problemorientierter Weise austauschen kann, vermag eigenständig zu existieren. Deswegen brauchen wir redaktionellen Journalismus und Medien, die ihn möglich machen. Brauchen wir eine neue Aufklärung? Aufklärung würde genügen; über ihre Gefahren und ihre Dialektik sind wir hinreichend informiert. Der Angriff der neuen Gegenaufklärung, in die sich unser kleiner Kanzler mit seinen Türkisen einreihte, sollte Episode bleiben, auch wenn seine zwergenhaften Nachfolger und Nachfolgerinnen wenig Anlass zu diesbezüglichem Optimismus bieten. Vor die Aufklärung haben die Götter die Aufarbeitung gesetzt. Die darf nicht nur der Justiz überlassen bleiben.

Die regierende Volkspartei heißt jetzt wieder so, außer bei Regionalwahlen; das zeigt schon ihr Dilemma. Sie traut sich selbst nicht mehr. Indem sie sich Kurz übergab, hat sie sich nicht gerettet, sondern weiter zerstört. Kurz ist weg, kommt seinen Verpflichtungen gegenüber amerikanischen Rechten nach und baut sich als internationale Figur auf. Er muss verhindern, dass ihm die österreichischen Gerichte einen Strich durch diese Rechnung machen. Die Kosten trägt naturgemäß weiterhin die von ihm zerstörte Partei. Welchen Politiker der Rechten haben gerichtliche Verurteilungen je davon abgehalten, politisch erfolgreich zu sein?

Das Erbe von Kurz aber lebt. Wie wir aus dem nach außen gestülpten Inneren seiner Kommunikation wissen, aus den Chats, sind die Kabinette der Ministerien, die Ränge der Beamten und die Vertrauensposten in der staatsnahen Industrie bis zum öffentlich-rechtlichen Fernsehen voll mit seinen Leuten und seinen Verhaltensweisen. Typische Reaktion eines ÖVP-geführten Ministeriums auf die Veröffentlichung der Chats: die Anschaffung einer ordentlichen Verschlüsselungssoftware. Kürzlich überging ein Rat der Wirtschaftsuniversität Wien bei der Bestellung des Rektors die Empfehlung des Senats, der üblicherweise gefolgt wird, und legte selbst einen Kandidaten fest, den zweitgereihten Rupert Sausgruber. Eine kurze Nachschau ergab nicht nur, dass dieser Universitätsrat aus den üblichen Schwarzen und Rechten besteht, etwa aus

Barbara Kolm, der ubiquitären Chefin des Hayek-Instituts, die der Strache-FPÖ um unser Steuergeld Wirtschaftskompetenz simulieren half. Nein, dort sitzt auch der Chef der N26 Bank, einer Direktbank, entstanden im Umfeld von Wirecard. Einer der Hauptinvestoren von N26 ist Peter Thiel. Das Rhizom des Kurzismus wächst weiter, ob er nun da ist oder weg.

Der Rest besteht aus schwachen Leuten, die, ungeschickter als Kurz, dessen schlechte Praxis bockig fortsetzen: Boulevardkorruption, Machtmissbrauch, Alimentierung der Reichen, Erschleichung der Volksgunst mit Terrorisierung von Migranten. Kurz hat die »Generation Anstandslos« an die Macht gebracht, aber die Öffentlichkeit empört sich allenfalls über mutmaßliche Rechtsbrüche, nicht über den großen Anstandsbruch, den er vornahm.

Außerdem hat er das Land an die Internationale der Rechten herangeführt, innerhalb von Europa an die rechte Opposition in der EU, außerhalb von Europa an Trumpisten und Rechte von Jared Kushner bis Benjamin Netanjahu. Zusammen mit einem neuen Italien ergibt das kein gutes Bild, wie diese Leute sagen, wenn sie von einer Katastrophe reden. Schreckliche Bilder an den Außengrenzen werde es geben, mit denen man sich abfinden müsse, so war es zu hören, und der Postkurzkanzler Karl Nehammer entschuldigte sich tatsächlich für das Bild, das seine in Korruptionsaffären verstrickte Partei abgebe. Für das Bild, nicht für die Tatsache! Mir reicht das Bild, das unser Innenminister abgab, als er im Rat gegen die Aufnahme von Bulgarien und Rumänien in den Schengen-Raum votierte. Selbst die Regierungen Viktor Orbán und Giorgia Meloni stimmten dafür. Als der außenpolitische Flurschaden sichtbar wurde, meldete sich der Außenminister und sagte, es habe sich nur um einen Hilferuf gehandelt. Österreich, das Land, wo man um Hilfe ruft, indem man anderen ein Bein stellt.

Die Generation Anstandslos tut, was sie kann. Sie setzt, hilfloser, aber doch, die katastrophale Medienpolitik der Regierung Kurz fort, welche wiederum nur die katastrophale Medienpolitik der Regierung von Werner Faymann (SPÖ) verstärkt, ja radikalisiert hatte. Als eine Folge dieser Medienpolitik plant sie, die *Wiener Zeitung* einzustellen, die von der Republik herausgegebene älteste noch erscheinende Tageszeitung der Welt. Ein Kulturfrevel, wenn er denn stattfindet. Allein dass jemand diese Idee haben kann und es vermeidet, alle konstruktiven Vorschläge zur Rettung der *Wiener Zeitung* überhaupt nur zur Kenntnis zu nehmen, sagt alles über diese Akteure, denen sich in diesem Fall die Grünen tätig beigesellen.

Sie erkennen nicht, was sie verlieren. Sie sehen nur die Interessen der Verlegerfamilien, dieser Familienbanden, die es verstehen, Jahr für Jahr der Republik dreistellige Millionenbeträge zu extrahieren. Nebenbei bekommen sie auch noch gesellschaftliches Gewicht, sprechen bei der Personalpolitik von Universitäten mit, machen oder verhindern politische Karrieren. Es ist ja nur Medienpolitik!

Dieser Zustände wegen brauchen wir nicht mehr und nicht weniger als den Versuch, die Demokratie aus den Medien heraus zu retten. Die Zeiten dafür sind günstig. Alles schwankt und wankt, der Boden unter unseren Füßen brennt nicht nur, er ist ein veritabler Nesselteppich. In allen Krisen lauert die totalitäre Versuchung, die einfache Lösung, die verzweifelte Flucht zu jenen Kräftigen, die schnell und machtvoll entscheiden. Entmündigung der Einzelnen und Zerstörung der gesellschaftlichen Kommunikation begünstigen den Weg dorthin; nicht der geringste Vorwurf an die Akteure unserer anstandslosen Gesellschaft lautet, dass sie dem nicht nur nichts entgegensetzten, sondern dass sie versuchten, persönlich davon zu profitieren.

Schon der griechische Historiker Thukydides erkannte als das Problem demokratischer Politik aufwiegelnde Rhetoren, öffentliche Verführungskünstler und Demagogen. Nichts anderes war Kurz, und darüber hinaus ein Lügner und Schwindler, das sagt jetzt sogar Karel Schwarzenberg. Die Aufwiegler stehen ganz rechts und drängen immer wieder an die Macht; zu groß ist das Vakuum in der Mitte und links davon. Dass alle politischen Akteure nichts anderes im Sinn haben als den umstandslosen Zugriff auf Reichtum und den schnellen Aufstieg in die Reihen der besitzenden Finanzkapitalisten, können sie der Öffentlichkeit nicht verheimlichen. Die rechten Akteure sind selbstverständlich kein Jota besser. Jedes Mal, wenn sie dabei an der Macht waren, zeigte sich das, sie agieren nur plumper. Aber sie üben offen Kritik. Toxisch, aber offen. Um die Wahrheit unbekümmert wie Trump, werden sie dennoch nicht ausgelacht. Das Meinunghaben ist ihr gutes Recht.

Die angegriffenen Parteien können die Lügen der anderen in der Öffentlichkeit nicht mehr dekuvrieren. Sehenden Auges haben sie sie zerstört. Sie haben sich zu Komplizen jener Leute gemacht, welche die Öffentlichkeit seit Jahrzehnten in aller Öffentlichkeit zugrunde richten. Sie alle haben die Phrasenmaschinen ungestört laufen lassen, das einstudierte Lächeln, die Posen. Der absoluten moralischen Wertfreiheit entspricht jene Wertlosigkeit, mit der sie zu den korruptesten Charakteren gehen, nicht um mit ihnen das Gespräch zu suchen (das ginge noch an), sondern um deren Maschine zu bedienen, in der Hoffnung, es befeuere ihre eigene. Eine Sozialdemokratie, die sich weigert, zum Verleger Wolfgang Fellner zu gehen, ist unvorstellbar. Kanzler, die es versuchten, wurden durch Negativberichte abgestraft. Wer stellte sich mit offener Kritik an ihre Seite? Die SPÖ hat Fellner selbst groß gemacht, begünstigt und bezahlt, bis Sebastian Kurz kam und sie überbot.

Es tut mir leid, ich gerate in die Nähe einer Bernhard'schen Tirade. Dabei habe ich die Frage noch nicht gestellt, woher dieses Land seine Vorbilder nehmen soll. Alles mit Ego-Müll verstopft, man kann es auch Korruption nennen. Aber wo wäre jemand, an dem man sich orientieren könnte? Spitzensportler, aber die sind hauptsächlich dazu da, das Publikum an verrückte Relationen zwischen Bezahlung und Leistung zu gewöhnen. Wo werden in diesem Land Eliten hergestellt? Man wünscht sich keine Institute, die nach englischem Muster inhumane Exzentriker der *ruling class* herstellen. Aber was sollen die arbeitenden Menschen, tüchtig, zupackend, imstande, Dinge zu reparieren und Katastrophen aufzuräumen, denken, wenn sie diese Herrchen und Dämchen sehen, lenkbar wie Drohnen und folgsam wie Pudel, die Phrasen aufsagen und schlechtes Theater vorspielen? Wer kann es ihnen verdenken, dass sie sich einfach abwenden? Sie haben ein Recht auf besseres politisches Theater!

Beispiele lehren, und diese lehren nichts Gutes. Die permanente Überschreitung der Befugnisse und Grenzen, die uns Leute wie Wolfgang Sobotka vorleben, beeinflusst Generationen. Ein Musikschuldirektor, trotz jahrzehntelangem sexuellen Missbrauch seiner Untergebenen nicht aus dem Amt zu vertreiben, schaffte das offenbar deswegen, weil seine Umgebung zumindest die Erzählung glaubte, Sobotka halte die schützende Hand über ihn. Die Karrieren von Medienleuten, deren einige aufgrund der Chats knickten oder abgebrochen wurden, sind nur Einzelfälle, die vor der Fülle jener korrupten Figuren verblassen, die weiterhin offen nicht Journalismus machen, sondern in Medien ihre Parteiloyalität ausleben.

Ich sehe keinen Grund zu bezweifeln, dass manche Chats von der SPÖ, der politischen Gegnerin der ÖVP, zurückgehalten werden, weil sie demnächst mit ihr koalieren will. Die

Hoffnung, die Entgiftung des Landes würde eingeleitet, indem die Vergifter endlich einmal für ein paar Jahre von der Macht entfernt würden, kann man vergessen. Kein Ethikrat wird uns retten, solange solche Eliten unser Debakel derart fortführen. Es regieren das Paradigma der Wirtschaft, der Medienkorruption (nicht nur im monetären Sinn) und das kriegerische Prinzip. Das allgemeine Wohl, dieses Ideal des Bürgertums und der Aufklärung, hat keine Fürsprecher, keine Kämpfer, kaum noch Menschen, die es verteidigen, ja, die überhaupt wüssten, was es wäre. Auch dieses allgemeine Wohl muss neu erdacht, öffentlich neu festgestellt werden.

Hier halte ich inne. Schaue nach innen. Und stelle Verwüstungen fest. Nicht nur die einer trivialen Biografie. Nein, Verwüstungen, die jeder an sich konstatieren muss, der nur einigermaßen schaut. Es sind Verwüstungen des Diskurses, die auch zu Verwüstungen des inneren Monologs ausgeartet sind, aus dem unsere bewusste Existenz besteht. Philosophen schwingen sich aufs Rennrad, wenn sich ihr Hirn leer anfühlt, ganz leer ist es ja nie, und während sie locker schnell einmal zweihundert Kilometer abspulen, füllt es sich wieder. Bei mir hingegen, greife ich aus Entspannungsgründen zur Kettensäge oder zum Balkenmäher, frisst sich meist nur eine Phrase sinnlos und repetitiv im Hirn fest und füllt es mit Nonsens, während ich darauf achte, mir nicht Hand und Fuß abzuschneiden. Das ist in Anbetracht der Polykrise auch zu empfehlen. Die großen Themen der Zeit! Asyl, Klima, soziales Unrecht, ökonomische Verwerfungen, Vertrauen, Korruption. Mir fehlt dabei immer das Medienthema. Ist es zu klein, zu unbedeutend? Viele Verwüstungen beginnen von dort auszugehen; also setzte ich genau dort meine Hoffnung an.

Die Verfolgung als öffentliches Prinzip: Donald Trump, First Jammerlappen in Bezug auf die Unterdrückung von *free speech*, war er es, der entschied, Julian Assange trotz des heiligen *First Amendment* anzuklagen und gerichtlich zu verfolgen. Wir gewöhnen uns an solche Verhöhnung der Vernunft. Kein Wunder, dass die Verrücktheiten überhandnehmen. Wer fragt noch danach, wie viel ein Mensch und seine Arbeit wert sind, im Vergleich zu anderen? Narzissmus ist kein Charakterdefizit, sondern eine Herrschaftstechnik. Isolde Charim hat das in ihrem Buch »Die Qualen des Narzissmus« famos dargestellt. Man ist süchtig danach, ausgebeutet zu werden, da hilft nichts. Das Handy und mit ihm Social Media sind die Mittel dazu; ja, gewiss, es gibt Revolutionen wie jene im Iran. Dort helfen Smartphones bei Verabredungen, aber die Polizei liest mit. Big Data, so ist zu befürchten, hält nicht zu den kleinen Leuten.

Gamification, Wettsucht, Spielsucht, Pornografie: Diese Spiele laufen, damit es zu keinem Aufbegehren kommt. Kaum jemand macht sie zum Thema, wenn das dummdreiste »Digitalisiert-Euch!«-Geschrei anhebt.

Manchmal verfalle ich in naives Wünschen. Nicht nur ich. Es gibt genügend Menschen, vom Medienökonomen Christian Fuchs über den Organisationswissenschaftler Leonhard Dobusch bis zum Medienwissenschaftler Fritz Hausjell, die genau das fordern: ein öffentlich-rechtliches soziales Medium. Digitalisierung müsste öffentlich-rechtlich ablaufen, im Sinn des Vorteils der Gesellschaft, nicht im Sinn des militärischen Vorteils des Hegemons und des pekuniären seiner Tycoons.

Die Kleinmütigen seufzen: Wie soll das gehen? Einfach, einmal mit einer europäischen Infrastruktur-Idee beginnen, mit einem Netz mit offenen Algorithmen. Dieses Netz sollten die öffentlich-rechtlichen Anstalten schaffen. Know-how könnten sie sich von frustriertem und entlassenem Personal von Twitter oder Facebook holen. Dazu bedürfte es freilich der Erneuerung des öffentlich-rechtlichen Gedankens; die Politik müsste endlich ihre parteipolitischen Ambitionen auf diese Sphäre ad acta legen; es steht viel auf dem Spiel. Die Leuchtkraft eines solchen Projekts könnte der des Euro gleichkommen. Gegen Korruption helfen weniger Ethikräte als funktionierende Medien.

Auf dem Programm der Regierung Kurz-Strache vom Dezember 2017 stand einem vom Nachrichtenmagazin *Profil* veröffentlichten Sideletter zufolge nicht nur die Postenaufteilung im ORF, sondern auch die Abschaffung der Rundfunkgebühren oder deren Ersatz durch direkte Zuwendungen aus dem Budget – ein erster Schritt zur kompletten Kontrolle über den Rundfunk. Zugleich startete Kanzler Kurz eine Offensive zur besseren Förderung der privaten TV-Betreiber (in der geförderten ProSiebenSat.1-Gruppe geht Berlusconi daran, seine Beteiligung von 25 auf hundert Prozent aufzustocken), naturgemäß nur der kommerziellen. Damit drückte er sein Verlangen aus, nicht nur einen übermächtigen Staat, sondern ein demokratisches System als Ganzes zu entmachten.

Manchmal stelle ich mir vor, wie ein entfesseltes öffentlich-rechtliches Medium handeln würde. Es würde ein permanentes Feuerwerk medialer, kreativer, recherchierender und kultureller Kompetenz abbrennen. Es würde Debatten führen, die das Wort wert wären. Es würde, als das stärkste im ganzen Land, nicht mit den Medienmächtigen und den Korrupten kooperieren, sondern gerade bei kleineren Medien den öffentlichen Gedanken fördern und ausstellen. Es würde die Fähigkeiten seiner Leute zur Entfaltung kommen lassen, und da sind viele gute darunter. Es würde dem Publikum erklären, was die Tech-Konzerne tun. Es würde klarstellen, wofür es öffentlich-rechtliche Medien braucht; auch die *Wiener Zeitung* könnte gedanklich zu so einem Konglomerat gehören. Dadurch, dass die Tüchtigsten in die richtigen Positionen kommen, könnte es das Problem anpacken, dass uns in der Republik der Anstandslosen das Personal ausgeht; solche Schwäche an der Spitze hält auf Dauer kein Staat aus. Das öffentlich-rechtliche soziale Medium wäre keineswegs so langweilig wie Mastodon. Der öffentlich-rechtliche Bereich insgesamt muss viel größer gedacht werden. Er wäre ein Freiraum, von dem aus sich die demokratische Gesellschaft mit Sauerstoff versorgen und, ja, vielleicht Lösungen für ihre anderen Krisen finden könnte. Es wäre ein allgemeiner Raum.

Herrliche Zeiten wären das! Jetzt hat mich mein Enthusiasmus hinaus in den Park getrieben und doch noch zum Gebrauch des »wir« verführt. Ich sehe mir das Haus an, und mir fällt ein, ich bin seit neuestem per Glasfaser an den Kosmos angeschlossen. Ging ganz anstandslos.

INHALT